dergestalt

müßiggang

Abschüssig

Quer

mu...

bauschen

buchten

liderlich

wichtig

unmerkbar

Abreilen

bellen

gehässig

bräten

Einnehmen

eigentümlich

Am 27/28.7. 1991 erschien in der *Süddeutschen Zeitung* ein Text von Peter Handke mit dem Titel »Abschied des Träumers vom Neunten Land. Eine Wirklichkeit, die vergangen ist: Erinnerung an Slowenien«. In dem wenig später vollständig als Buch erschienenen Text beschreibt Peter Handke sein Verhältnis zu Jugoslawien, speziell zu dessen Zerfall, und er fragt: »Hat jenes Jugoslawien, welches doch mit dem Zweiten Weltkrieg dem entkommen zu sein schien, was man ›Fluch der Geschichte‹ nennt, nun seinen speziellen Fluch?«

Leider wurde Peter Handkes Frage positiv beantwortet. Er verfolgte die Ereignisse und veröffentlichte nach einer Ende des Jahres 1995 unternommenen Serbien-Reise »Eine winterliche Reise zu den Flüssen Donau, Save, Morawa und Drina oder Gerechtigkeit für Serbien«. Diese erforderte dann, als er auch in Bosnien-Herzegowina, in Srebrenica war, einen »Sommerlichen Nachtrag zu einer winterlichen Reise«.

Die hier in einem Band versammelten Betrachtungen Peter Handkes zu Jugoslawien eröffnen dem Leser neue Perspektiven auf den Zerfall des ehemaligen Jugoslawien. Sie stellen die vor allem in der Berichterstattung eingefahrenen stereotypen Schuldzuweisungen in Frage.

Peter Handke, 1942 in Griffen (Kärnten) geboren, lebt heute bei Paris. Sein Werk im Suhrkamp Verlag ist auf den Seiten 254 bis 256 dieses Bandes verzeichnet.

Peter Handke

Abschied des Träumers
vom Neunten Land

Eine winterliche Reise
zu den Flüssen Donau, Save,
Morawa und Drina
oder
Gerechtigkeit für Serbien

Sommerlicher Nachtrag
zu einer
winterlichen Reise

Suhrkamp

Eine gekürzte Fassung von
Abschied des Träumers vom Neunten Land
erschien zuerst in der Süddeutschen Zeitung.

*Eine winterliche Reise zu den Flüssen Donau, Save,
Morawa und Drina* oder *Gerechtigkeit für Serbien*
erschien am 5./6. Januar und am 13./14. Januar 1996
unter dem von der Redaktion gewählten Titel
»Gerechtigkeit für Serbien. Eine winterliche Reise zu
den Flüssen Donau, Save, Morawa und Drina«.

suhrkamp taschenbuch 2905
Erste Auflage 1998
Abschied des Träumers vom Neunten Land
© Suhrkamp Verlag Frankfurt am Main 1991
Eine winterliche Reise zu den Flüssen Donau, Save, Morawa und Drina
oder Gerechtigkeit für Serbien
© Suhrkamp Verlag Frankfurt am Main 1996
Sommerlicher Nachtrag zu einer winterlichen Reise
© Suhrkamp Verlag Frankfurt am Main 1996
Suhrkamp Taschenbuch Verlag
Alle Rechte vorbehalten, insbesondere das
des öffentlichen Vortrags, der Übertragung
durch Rundfunk und Fernsehen
sowie der Übersetzung, auch einzelner Teile.
Druck: Nomos Verlagsgesellschaft, Baden-Baden
Printed in Germany
Umschlag nach Entwürfen von
Willy Fleckhaus und Rolf Staudt

1 2 3 4 5 6 - 03 02 01 00 99 98

Abschied des Träumers
vom Neunten Land

Es sind vielerlei Gründe genannt worden für einen eigenen, regelrechten Staat mit Namen »Republik Slowenien«. Damit diese Gründe mir aber im einzelnen denkbar, oder faßbar, oder eingängig würden, müßte ich sie erst einmal sehen; das Hauptwort »Grund« kann, für mich jedenfalls, nur bestehen zusammen mit dem Zeitwort »sehen«. Und ich sehe keinen Grund, keinen einzigen – nicht einmal den sogenannten »großserbischen Panzerkommunismus« – für den Staat Slowenien; nichts als eine vollendete Tatsache. Und ebenso sehe ich nicht die Gründe für einen »Staat Kroatien«. Diese andere Tatsache freilich geht mich weniger an (doch nicht einmal dessen bin ich mir sicher). Das Land Slowenien und die zwei Millionen Köpfe des slowenischen Volks hingegen betrachte ich als eine der wenigen Sachen, welche bei mir zusammengehören mit dem Beiwort »mein«; Sache nicht meines Besitzes, sondern meines Lebens.

Damit spiele ich mich keineswegs als »Slowene« auf. Zwar bin ich in einem Kärntner Dorf geboren, wo seinerzeit, im Zweiten

Weltkrieg, noch die Mehrheit, nein, die Ge-
samtheit österreichisch-slowenisch war und
auch in der entsprechenden Mundart miteinander verkehrte, und meine Mutter sah sich,
beeinflußt vor allem durch den ältesten Bru-
der, der, jenseits der Grenze, im jugosla-
wisch-slowenischen Maribor den Obstbau
studierte, in ihrer Mädchenzeit als eine aus
jenem Volk (später, nach dem Krieg, nur
noch unter anderm); aber mein Vater war ein
deutscher Soldat, und Deutsch ist meine
Sprache geworden, durch die erste Kindheit
in Ost-Berlin und, auf andre Weise, durch
die anschließende, in dem »mit der Zeit«
mehr und mehr verschwindenden und ver-
klingenden alten Slowenendorf, das selbst
die Bewohner endlich nur noch zum Spaß
»Stara Vas« hießen; dem Kind aus der deutschen Großstadt waren die slawischen Ur-
laute ein Greuel in den Ohren, es fuhr bei
Gelegenheit sogar der eigenen Mutter deswegen über den Mund, gerade ihr.

Im Lauf der Jahre, vor allem wohl, indem
ich Bilder bekam, *erzählt* bekam von den slo-

wenischen Vorfahren, wurde das anders, wie es natürlich ist (oder natürlich sein sollte). Ein »Slowene« jedoch wurde ich nie, nicht einmal, obwohl ich die Sprache inzwischen halbwegs lesen kann, ein »halber«; wenn ich mich heutzutage in so etwas wie einem Volk sehe, dann in jenem der Niemande – was zeitweilig heilsam sein kann, zeitweise heillos ist (in den Momenten, da ich mir selbst die Zusammengehörigkeit der über den Erdball streunenden Niemande nicht mehr einbilden kann).

Und trotzdem habe ich mich in meinem Leben nirgends auf der Welt als Fremder so zu Hause gefühlt wie in dem Land Slowenien. Lange Jahre ging es mir dort so, über ein Vierteljahrhundert, bis ich schon glaubte, auf diese Sache sei einmal Verlaß, und an den dortigen Orten gebe es in der Tat, anders als den trügerischen der Kindheit, aus der ich und du uns entgegen dem romantischen Gerücht mir nichts dir nichts vertrieben sahen, so etwas wie eine Dauer.

Zu Hause in Slowenien, Jugoslawien? In der Wirklichkeit. Es war das genaue Gegenteil zu jener Unwirklichkeit, wie sie in Grausen versetzt den Schreiber der »Briefe eines Zurückgekehrten« (Hofmannsthal), welcher nach langer Abwesenheit von seinen deutschen Landen vor keinem einzigen Gegenstand da mehr dessen Existenz fühlt: Kein Krug wirkt mehr als Ding Krug, kein Tisch steht mehr da als Tisch; sämtliche Dinge in dem Gebiet Deutschland erscheinen dem Zurückgekehrten als »gegenstandslos«. Wie gegenständlich aber wurden dafür mir durch die Jahre, jedesmal, gleich beim wiederholten Überschreiten der Grenze, die Dinge in Slowenien: Sie entzogen sich nicht – wie das meiste inzwischen nicht bloß in Deutschland, sondern überall in der Westwelt –, sie gingen einem zur Hand. Ein Flußübergang ließ sich spüren als Brücke; eine Wasserfläche wurde zum See; der Gehende fühlte sich immer wieder von einem Hügelzug, einer Häuserreihe, einem Obstgarten begleitet, der Innehaltende dann von etwas ebenso Leibhaftigem umgeben, wobei das Gemeinsame all dieser Dinge die gewisse herzhafte Unscheinbarkeit gewesen ist, eine Allerwelthaftigkeit: eben das Wirkliche, welches wie wohl nichts sonst jenes Zuhause-Gefühl des »Das ist es, jetzt bin ich endlich hier!« ermöglicht.

Über die Einzelheiten hinaus ist eine lange Zeit das ganze Land als solch ein Ding wirksam gewesen, als ein Land der Wirklichkeit, und wie mir schien, nicht allein für den Besucher, auch für die Ansässigen; wie sonst wären sie einem so ungleich wirklicher begegnet, in ihrer Art zu gehen, zu reden, zu schauen und vor allem zu übersehen, als die Völker jenseits seiner Grenzen, der italienischen ebenso wie der österreichischen? In dem Land Slowenien und bei den Slowenen habe ich mich in der Tat immer wieder als ein Gast der Wirklichkeit fühlen können, da beim Wein (des Karstes oder der Windischen Bühel), da beim Kirchturm (von Hrastovlje auf Istrien oder von Sveti Janez am Wocheiner See), da im Bus (von Tolmin nach Nova Gorica, von Ljubljana nach Novo Mesto, von Koper nach Divača), da im herzhaft kargen Gastzimmer von Most na Soči oder

Vipava, da beim Sich-Öffnen der Ohren für das so dingnahe, so sanftmütige, so unge-künstelt-anmutige Slowenisch – auch das gab Wirklichkeit – allüberall im Land.

Daß dergleichen Erfahrungen auch meine Einbildung oder sogar überhaupt ein Trug sein könnten: Nicht erst die Vorfälle des Juni und Juli 1991 jetzt, von den Slowenen selbst teils mit Trauer, teils mit Stolz – eher mehr mit diesem – »vojna«, Krieg, genannt, gaben mir das zu bedenken. Hofmannsthals Brief-Erzählung von der Unwirklichkeit, oder Unvorhandenheit, oder Unbeschreiblichkeit der Dinge in den deutschen Räumen ist ent-standen einige Jahre vor dem Ausbruch des Ersten Weltkriegs. Und ähnlich erging es, seit einiger Zeit schon, auch mir mit den zuvor so gegenwärtigen slowenischen Din-gen, Landschaften, dem ganzen Land. Die Geschichtslosigkeit, welche jenes reine Ge-genwärtigsein vielleicht ermöglicht hatte, war Schein gewesen (wenn auch ein frucht-barer?); höchstens handelte es sich um eine kleine Pause in der Geschichte (oder unsrer unselig-ewigen Zwanghaftigkeit?). Slowenien gehörte für mich seit je zu dem großen Jugoslawien, das südlich der Karawanken begann und weit unten, zum Beispiel am Ohridsee bei den byzantinischen Kirchen und islamischen Moscheen vor Albanien oder in den makedonischen Ebenen vor Griechenland, endete. Und gerade die offensichtliche slowenische Eigenständigkeit, wie auch der anderen südslawischen Länder – Eigenständigkeit, die, so schien es, nie eine Eigenstaatlichkeit bräuchte –, trug in meinen Augen zu der selbstverständlichen großen Einheit bei. Diese bestand nicht nur geographisch, etwa im Karstkalk, der sich von dem Berg Trstelj nördlich von Triest hinab über die gesamte dinarische Platte zog, sondern auch, besonders, gerade, als historische. Zwei Daten in diesem Jahrhundert waren es, welche, glaubte ich, die so verschiedenen jugoslawischen Völker einigten und auf Dauer einighalten müßten: ihr eher ungezwungenes, für viele sogar enthusiastisches Zusammenfinden 1918, mit dem Ende des Habsburgerreichs, erstmals in einem eigenen Reich, wo die einzelnen Länder keine schattenhaften Kolonien mehr, die einzelnen Sprachen kein Sklavengemunkel mehr zu sein bräuchten; und im Zweiten Weltkrieg dann der gemeinschaftliche Kampf der Völker Jugoslawiens, auch der unterschiedlichen Parteien und der einander widersprechenden Weltanschauungen – ausgenommen fast nur die kroatischen Ustascha-Faschisten –, gegen das Großdeutschland.

(Immer wieder habe ich in den slowenischen Dörfern die kleinen Gruppen der alten Männer als Zeugen einer ganz andern als unsrer, der deutschen und österreichischen Geschichte, eben der des großen widerständischen Jugoslawien gesehen und dieses, ich kann's nicht anders sagen, um seine Geschichte beneidet.)

In den vergangenen Jahren jedoch, so oft ich nach Slowenien kam, wurde dort, zuletzt mehr und mehr, eine neue Geschichte verbreitet. Neu? Es war die altväterische, aber mit der Zeit neu gewendete Sage von »Mitteleuropa«. Und diese, anders als die der schweigsamen Veteranen, hatte statt der sporadischen Erzähler gruppenweise Sprecher, mehr und weniger lautstarke. Oder so: Auch hier, zur Geschichte Mitteleuropa, hatte es zunächst die Erzähler gegeben, und deren Stelle nahmen inzwischen fast ausschließlich die Sprecher ein; oder: Die ursprünglichen Erzähler selber, manchmal meine Freunde, hatten, zur Unkenntlichkeit verändert, die Rolle von Sprechern eingenommen. Und dieses historisierende Sprechertum vor allem, verlautbart aus vielen Mündern, in Zeitungen, Monatsschriften, bei Symposien, war es wohl, das dem Gast Sloweniens die Landesdinge jedesmal stärker entrückte in die erwähnte Unwirklichkeit, Ungreifbarkeit, Ungegenwärtigkeit.

Nicht, daß etwa Slowenien für mich vorher, politisch gesehen, »der Osten« gewesen wäre. Und es lag mir auch nie, mochte das zwar der Himmelsrichtung nach stimmen, im Süden; es war, anders als Italien, kein Südland (aber auch in Kroatien, in Serbien, in Montenegro fühlte ich mich keinmal »im Süden«). Und ebenso nicht, obwohl unsere österreichischen Grenzwacht-Zeitungen das ihren Lesern, zumindest vor dem Umschwung der letzten Jahre, gleichsam auf Dauer weiszumachen versuchten, begann in Jesenice, in Dravograd oder in Murska Sobota bereits »der Balkan«. Aber welch erwachsener Leser verbindet heutzutage überhaupt noch etwas Wirkliches mit solch einem Wort?

Nirgends in Bosnien und der Herzegowina, auch nicht im Kosovo, zu Fuß unterwegs, in Bussen und Zügen, kam mir jemals dieses blödsinnige Schlägerwort in den Sinn, geschweige denn über die Lippen; ginge es um dergleichen Parolen, müßte man zum Beispiel die serbischen Intellektuellen aus Beograd geradezu als die Zwillinge ihrer Kollegen in Paris oder New York bezeichnen, so telepathisch sind sie mit diesen verbunden in der jeweiligen Theorie des Tages, ob es nun jene der »Schnelligkeit« oder der »Chaos-Forschung« ist, und wenn ich meinem werten Genossen und Übersetzer Zarko Radaković – Novi Sad/Beograd/Tübingen/Köln/Seattle – beiläufig erzähle, ich sei zu Fuß den Oberlauf der Soča (des Isonzo) entlanggegangen, wird er mir im Handumdrehen seine neue groß- und kleinserbische Theorie »Vom Wandern an Flüssen« auftischen und dazu auch schon eine internationale Anthologie – Beiträger George Steiner, Jean Baudrillard, Reinhold Messner – vorbereiten. Wie traurig, und auch empörend, wenn jemand wie Milan Kundera noch heute, vor ein paar Wochen, in einem von *Le Monde* veröffentlichten Aufruf zur »Rettung Sloweniens« dieses, zusammen mit Kroatien, vom serbischen »Balkan« abgrenzt und es blind jenem gespenstischen »Zentraleuropa« zuschlägt, dessen kaiserliche Herren doch einst auch sein slawisches Tschechisch, aus dem Jan Skácel von Brno später dann die zartesten Gedichtpsalmen des 20. Jahrhunderts schöpfte, als barbarisches Kauderwelsch abtun wollten!

Nein, Slowenien in Jugoslawien, und *mit* Jugoslawien, du warst deinem Gast nicht Osten, nicht Süden, geschweige denn balkanesisch; bedeutetest vielmehr etwas Drittes, oder »Neuntes«, Unbenennbares, dafür aber Märchenwirkliches, durch dein mit jedem

Schritt – Slowenien, meine Geh-Heimat –
greifbares Eigendasein, so wunderbar wirklich auch, wie ich es ja mit den Augen
erlebte, gerade im Verband des dich umge-
benden und zugleich durchdringenden – dir
entsprechenden! – Geschichtsgebildes, des
großen Jugoslawien.

Und nun wich das urslowenische Märchen
vom Neunten Land Jahr für Jahr mehr zurück vor dem Gespenstergerede von einem
Mitteleuropa. Solch Gespenst geisterte zwar
auch jenseits der nächsten Grenzen, zog da
freilich – von den edlen Hintergedanken der
Alt-Wiener, -Steirer und -Kärntner einmal
zu schweigen – eher gleichsam an einem
»Heimdreh«-Strang: so wie die österreichische Redensart von den Selbstmördern be-
sagte, sie drehten sich, mit dem Strick,
»heim«, so schienen auch diese und jene italienischen Friulaner oder Triestiner, mit
ihren Festfeiern jährlich zum hundertsound-
sovielten Geburtstag des Kaisers Franz Jo-
seph, ihre wirklichen Lebensträume »heim-
zudrehen« (oder war das vielleicht bloß ein
ironischer Ersatz für etwas in Wahrheit

längst Ausgeträumtes?). Im Lande Slowenien jedoch griff das Gespenst ein in die
Wirklichkeit. Und die mit ihm durch die
Landschaft zogen, das waren keine Altvor-
dern oder Weinwinkelexistenzen, sondern
was man üblich »helle Köpfe«, »die Nach-
denklichen«, »die Stillen« nennt; Wissenschaftler, Poeten, Maler.

Einmal im Jahr trafen sich zum Beispiel,
etwa von der Mitte des letzten Jahrzehnts an,
solche auf der slowenischen Karsthochfläche in Lipica, zuerst vor allem um der Kunst
und des schönen Drumherumredens (und
Herumsitzens) willen. Doch von Jahr zu
Jahr mehr verflüchtigte sich das ursprüngliche Einander-Vorlesen usw. zu einem ra-
schen, hundertköpfigen Defilée, in dem es
unmöglich wurde, ein Ohr zu haben für
auch nur ein einziges Gedicht, und die Mitte
der Veranstaltung nahm ein das dazu pas-
sende Gespenst, in dessen Bann, im Scheinwerferlicht, vor Mikrophonen, simultan ge-
dolmetscht für die ungarischen, polnischen,
sorbischen (immer seltener serbischen), dann
auch schon litauischen, niedersächsischen,

Frankfurter, Pariser, Mailänder Tagungs-
teilnehmer, meine slowenischen Vorjahres-
freunde die Sonorität von Rundfunkspre-
chern, das Brauenzucken von Fernsehkom-
mentatoren, das hintersinnige Mienenspiel
von Politikern nach großen Entscheidungen
annahmen (erst abends beim Wein erkannte
ich sie als die einzelnen wieder – und immer
häufiger nicht einmal dort).

Das begann einige Jahre nach dem Tod Titos, und es kommt mir jetzt vor, eine große
Zahl, jedenfalls die Mehrheit, innerhalb der
nördlichen Völker Jugoslawiens, habe sich
den Zerfall ihres Staates von außen einreden
lassen.

Noch im nachhinein bleibt es frecher Unsinn, wenn der mit Informationen prunken-
de, dabei großmäulig-ahnungslose »Spiegel«
in seiner Titelstory Jugoslawien ein »Völ-
kergefängnis«! heißt, und wenn die Finster-
männerriege der deutschen »Frankfurter Allgemeinen« einen ihrer erfahrungslosen Maul-
helden von der Kärntner Grenze reportieren
läßt, die deutschen Österreicher dort hätten
mit ihrer slowenischen Minderheit immer in

gutem Einvernehmen gelebt – eine schlimmere Travestierung des im Land der Drau seit sieben Jahrzehnten geschehenen und immer weitergehenden Sprach- wie Identitätsraubzugs gegen das eingesessene Slowenenvolk, mit Großdeutschland als dem Meisterbanditen, könnte höchstens noch das entsprechende Weltblatt vom Planeten Mars erfinden. Nein, eine persönliche Erfahrung war das Auseinanderfallen des sogenannten »Tito-Reichs« offensichtlich für keinen einzigen Slowenen – jedenfalls ist mir, so wie ich auch nachforschte, keinmal einer begegnet; was ich hörte, empfand ich als Nachgeplapper. Längst war der Kommunismus fast nur noch Legende. Die Praxis in Slowenien, sowohl in der Kultur wie auch, vor allem, in der Wirtschaft, war liberal. Nur mit Zorn und Widerwillen konnte ich aufnehmen, wie jüngst die westlichen Medien einen Typen als Helden hinstellten, der in Ljubljana herumsaß mit einem Schild »Das Leben gebe ich her, nicht aber die Freiheit«. Die Slowenen waren frei wie ich und du, innerhalb der Gesetze, die schon lange nicht mehr ausgelegt wurden als die eines autoritären Staates (mit Ausnahmen, wie auch »bei uns«); gewerbefrei, wohnsitzfrei, schrift- und redefrei. Und das Unrecht der serbischen Führung, das faktische Entziehen der Autonomie des vor allem albanischen Kosovo, war da noch lang nicht geschehen.

Ein slowenischer Bekannter sagte mir dazu gerade, was das serbische Parlament vor eineinhalb Jahren mit der Region von Pristina angerichtet habe, sei »der Anfang« gewesen, und daher, um dem weiteren zuvorzukommen, die Gründung des Staates Slowenien. Aber genügt schon, von einer (1) Völkerrechtswidrigkeit zu sagen: »Das war nur der Anfang«, um selbst eine Vertragsverletzung – und so sehe ich das eigenmächtige Abstimmen und Befinden über einen Austritt aus einem doch von den jugoslawischen Völkern gemeinsam beschlossenen Bundesstaat – zu begehen? Und die, entsprechend der Bevölkerungszahl, serbische Übermacht in dem Staatsapparat Jugoslawien hat die kleine slowenische Teilrepublik zwar vielleicht hier und da schikaniert oder übervorteilt oder niedergeredet, aber doch, jedenfalls nicht daß ich wüßte, keinmal in der Geschichte nach dem Zweiten Weltkrieg gegen sie einen solchen Völkerrechtsbruch gesetzt, der es Slowenien erlaubte, von sich aus, wie es geschah, den historischen Staatsvertrag für nichtig geworden zu erklären. Ein andrer slowenischer Bekannter gab dazu sogar an, es sei im Land unerträglich geworden, daß in der jugoslawischen Armee nur Serbisch und nicht auch Slowenisch »Befehlssprache« sein könne.

Nein, das zunehmende Wegdriften so vieler Slowenen von ihrem großen Jugoslawien, »hin zu Mitteleuropa«, oder »zu Europa«, oder »zum Westen«, nahm ich lange als bloße Laune. So hörte ich immer öfter, und jedesmal seltsamer berührt, von Bekannten, aber auch von Wildfremden, auf den Straßen und Brücken von Ljubljana oder Maribor, wo die Flüsse wie je auf die Donau in Beograd zuströmten, Slowenen und Kroaten sollten an den Südgrenzen eine »Mauer« gegen die Serben, die »Bosniaken« usw. errichten, höher noch als die in Berlin – es gab diese da noch –, »zwei Stockwerke hoch!« Und wenn ich nach den Gründen fragte, beschlich es mich dumm-bekannt bei: »Die unten arbeiten nicht – die im Süden sind faul – nehmen uns im Norden die Wohnungen weg – wir arbeiten, und sie essen.« Ein weniges davon mag verständlich sein, vielleicht, nicht aber in dieser Form; denn kein Besinnungswort fiel von der so viel günstigeren Transport- und Handelslage, dem fruchtbareren Boden. Ganz gewiß freilich gab es ein zunehmendes Ungleichmaß im Tragen der Staatslasten, zwischen Nord und Süd, wie auch wohl anderswo. Nur: wie konnte das als Anlaß gelten, sich launenhaft, eilfertig und trotzig-dünkelhaft loszusagen von dem immer noch weiträumigen Himmel über einem trotz allem wohlbegründeten Jugoslawien? Anlaß, oder gar bloße Ausrede?

Denn nichts, gar nichts, drängte bis dahin in der Geschichte des slowenischen Lands zu einem Staat-Werden. Nie, niemals hatte das slowenische Volk so etwas wie einen Staatentraum. Und der slowenische Staat, jedenfalls bis zur Gewalt der Armeepanzer und -bomber, hatte, aus sich selbst, nicht das Licht einer Idee (Jugoslawien hatte es). Und kann jetzt aus der Gewalt und dem Widerstand allein eine solche Idee wachsen, lebenskräftig auf Dauer? Ich frage: Ist es möglich, nein, notwendig, für ein Land und ein Volk, heutzutage, unvermittelt, sich zum Staatsgebilde zu erklären (samt Maschinerie Wappen, Fahnen, Feiertag, Grenzschranken), wenn es dazu nicht *aus eigenem* gekommen ist, sondern ausschließlich als Reaktion *gegen* etwas, und dazu etwas von *außen*, und dazu noch etwas zwar manchmal Ärgerliches oder Lästiges, nicht tatsächlich Bedrängendes oder gar Himmelschreiendes? (Das letztere, ob erfahren oder erlitten durch die Herrschaft erst von Österreichern, dann Deutschen, war es ja, was dem Staat Jugoslawien sein Pathos und seine Legitimität gab, und auch jetzt weiterhin geben sollte.)

Slovenski narod, narod trplenja – »slowenisches Volk, Volk des Leidens« –, so hieß es mit Recht bis zum Ende des Zweiten Weltkriegs.

Dergleichen jedoch durfte danach kein Slowene im Verband Jugoslawiens von seinem Volk mehr denken. Ist das die Neumoderne: Staatengründung aus bloßem Egoismus, oder eben aus purer und wenn auch noch so verständlicher schlechter Laune gegenüber dem Bruderland? (Nein, nicht »Cousins«, wie man gesagt hat, sondern in der Tat »Brüder«.) Hat das slowenische Volk sich das Staat-Spielen nicht bloß *ein*reden lassen – welch kindliches Volk, welch kindischer Staat –, wozu es dann auch keine Begründungen geben kann, nur *Aus*reden, selbst den, in diesem Fall besonders blödsinnigen Slogan »Small is beautiful«? Weist nicht auch darauf hin, daß auf das Ernstmachen des Spiels, die Staatsausrufung, die Bevölkerung weit eher mit Mulmigkeit reagierte als mit Begeisterung?

Diese dagegen, und ich habe das auf meinen Wegen immer wieder gesehen, herrschte und dauerte, wenigstens ein paar Jahre nach Titos Tod, für den Staat Jugoslawien. Und es war keine Ideologie mehr, die das bewirkte, kein Titoismus, kein Partisanen- oder Veteranentum. Es war besonders der Enthusiasmus der Jungen, aus den verschiedenen Völkern; am stärksten sichtbar, wo sie, in gleichwelchem Land, miteinander zusammentrafen. Und jene Gemeinsamkeit erschien dem Festgast nirgends als ein zwanghaftes Reihenschließen, Zusammenrücken von Verschwörern oder als Ball in einem Waisenhaus: sie wirkte natürlich, »selbstredend«, offen nach allen Himmelsrichtungen; wenn jene Zusammenkünfte etwas von Schlußfeiern hatten, dann allein, indem sie einen darauffolgenden Aufbruch bezeichneten, eines jeden in dem Reigen auf seine eigene Weise. Damals geschah es, daß ich diese slowenischen, serbischen, kroatischen, makedonischen, herzegowinischen Studenten, Arbeiter, Sportler, Tänzer, Sänger, Liebhaber – ein jeder dünkte mich als das alles in einem – um ihre Jugend herzlich beneidete, und damals war es auch, daß Jugoslawien mir das wirklichste Land in Europa bedeutete. Episode. Aber es ist mir unvorstellbar, daß diese für die seinerzeit im Zeichen einer Gemeinsamkeit Aufgebrochenen, auch wenn sie im Augenblick einzeln, für sich, hinter die jeweiligen Grenzhecken postiert sind, inzwischen so mir nichts, dir nichts unwirklich, ungültig, nichtig geworden ist.

Ja, die neuen Grenzen in Jugoslawien: Ich sehe sie, statt nach außen, viel mehr, bei jedem der jetzigen Einzelstaaten, nach innen wachsen, hinein ins jeweilige Landesinnere; wachsen als Unwirklichkeitsstreifen oder -gürtel; hineinwachsen zur Mitte, bis es bald kein Land, weder slowenisch, noch kroatisch, mehr gibt, ähnlich wie im Fall Monte Carlo oder Andorra. Ja, ich fürchte, eines Tages in der »Republik Slowenien« kein Land mehr schmecken zu können, wie in Andorra, wo die kreuz und quer in die Pyrenäenfelsen gesprengten Geschäftsstraßen noch das letzte Stück Weite – dicht auf dicht eingegrenzt von gleichsam aus Manhattan als Verlängerung der Park- oder der Fifth Avenue in das Gebirge betoninjizierten Waren- und Bankmeilen –, und schon seit langem jeden Geschmack von Land, Gegend, Raum, Ort und Wirklichkeit erstickt haben;

statt des Anhauchs der Kultur der Schwefel und Schwafel einer längst entseelten Folklore.

Freilich wird hier und dort gesagt, der Staat Slowenien sei nur ein Stadium auf dem Weg zu einem ganz anderen, erneuerten Jugoslawien. Aber wer sind die in dem Land, eine Tatsache, welche unter dem Namen »Unabhängigkeit« oder »Freiheit« umläuft, wieder rückgängig zu machen? Tatsache, unverrückbar erscheinend durch die zwei zusätzlichen Bleigewichte, einmal der Panzer und Bomben auf der einen Seite – nie werden die wohl aus den Sinnen der Slowenen, vor allem der Kinder von 1991, gehen –, und als zweites dann das Verhalten der slowenischen Grenzschützer, von denen unselig viele, anders, ja, als ihre plötzlich gegen sie kriegspielenmüssenden Altersgenossen (oder waren diese nicht eher um einiges jünger?), so sehe ich das, im Handumdrehen bereit zum Töten waren: nicht bloß die so unterschiedlichen Zahlen der Umgekommenen auf den beiden Seiten sagen das, sondern auch die Bilder, etwa das der mit einer weißen Fahne aus einem umzingelten Grenzerhaus tretenden Bundessoldaten, von Unsichtbaren auf der Stelle umgeschossen, oder vom Strahlen eines Heimwehrmanns, wie er, laut dem mit ihm mitstrahlenden österreichischen Tagblatt, von seinem »ersten Toten, einem 18jährigen Makedonier«, erzählt – auch das, das blindwütige Killen, samt gebleckten Killermienen, wie soll es dem, der es mit Augen gesehen hat, je aus dem Sinn gehen? Hat jenes Jugoslawien, welches doch mit dem Zweiten Weltkrieg dem entkommen zu sein schien, was man »Fluch der Geschichte« nennt, nun seinen speziellen Fluch?

Ein Schimmer Hoffnung, zugleich zum Lachen – so als gehörten Hoffnung und Lachhaftigkeit in diesem Fall zusammen –, kam mir vor kurzem beim Gehen in Paris mit einem slowenischen Wegkumpanen, wie er da, obwohl traurig einverstanden mit der Umwälzung in seinem Land, die ihm aus der Armeezeit bekannte serbische Befehlssprache ins Slowenische zu übertragen versuchte. Es gelang ihm nicht. Was im ersten Idiom sofort geläufig und selbstverständlich aus ihm schallte, trompetete, knarrte, zischte, peitschte, schnellte, verlor in seinem angeborenen jeden Rhythmus, sträubte sich gegen das Laut-Werden, bog sich, gleichsam instinktiv, wie bei Kafka die Kinder, die »unter dem Wind« laufen, weg von der Aufgerecktheit, kam mit jeder Silbe aus dem Marschtritt, wich aus vor dem Marschblasen, bauschte und buchtete sich zur Melodie, bis der Sprecher seine slowenischen Befehlsversuche schließlich belustigt-schicksalsergeben abbrach.

Es war dasselbe grauhaarige Kind Sloweniens, das, vor zwei Wochen noch, im heimatlichen Vipava-Tal, an der Hand seine 10jährige Nichte, Ohrenzeuge des Bombengetöses auf den heiligen Berg Nanos, mir dann erzählte: »In der ganzen bisherigen slowenischen Geschichte war stets nur die Mutter da. Unser Vater hat immer geschlafen. Innen im Berg, du weißt schon. Ist höchstens kurz aufgetaucht, wie ein Traumwandler, gestern hier, morgen dort, du weißt schon, König des Neunten Lands, und gleich wieder verschwunden. Jetzt ist der Vater aufgewacht.« Und der Erzähler hob an zu kichern, und kicherte weiter, während seines gesamten Heimwegs auf der *Avenue du Général Leclerc*, weniger und weniger slowenisches Kind, mehr und mehr dort landesüblicher Kobold: »Aber ob das je seiner Kinder Wunsch war?«

Eine winterliche Reise
zu den Flüssen
Donau, Save, Morawa und Drina
oder
Gerechtigkeit für Serbien

»Ach, ich erinnere mich: damals unterschrieb ich Briefe mit Poor Yorick, und meine Mutter ging den ganzen Tag in der Nachbarschaft umher und fragte, wer denn dieser Yorick sei. Eh, so lebte man vor dem Krieg.«

»Was macht es uns aus, drei Millionen Menschen zu töten. Der Himmel ist überall der gleiche, und blau, so blau. Der Tod ist noch einmal gekommen, aber nach ihm wird die Freiheit kommen. Wir werden frei und komisch sein.«

»Als der erste Schnee fiel, lernten wir uns besser kennen.«

Miloš Crnjanski,
Tagebuch über Čarnojević,

1921

I
Vor der Reise

Schon lange, nun fast vier Jahre lang, seit dem
Ende des Krieges in Ostslawonien, der Zerstörung von Vukovar, seit dem Ausbruch des
Krieges in Bosnien-Herzegowina, hatte ich
vorgehabt, nach Serbien zu fahren. Ich kannte
von dem Land einzig Belgrad, wohin ich vor
beinah drei Jahrzehnten als Autor eines stummen Stücks eingeladen war zu einem Theater-
festival. Von jenen vielleicht eineinhalb Tagen
habe ich nur behalten meinen jugendlichen
oder eben autorhaften Unwillen wegen einer
unaufhörlichen Unruhe, angesichts der wortlosen Aufführung, in dem serbischen Publikum, welches, so mein damaliger Gedanke,
südländisch oder balkanesisch, wie es war, natürlich nicht reif sein konnte für ein so lang-
andauerndes Schweigen auf der Bühne. Von
der großen Stadt Belgrad ist mir von damals
nichts im Gedächtnis geblieben als eine eher
sachte Abschüssigkeit beidseits zu den unten

in der Ebene zusammenströmenden Flüssen Save und Donau hin – kein Bild hingegen von den beiden Wassern, die Horizonte verriegelt von den »typisch kommunistischen« Hochblöcken. Erst jetzt, vor kurzem, bei meinem zweiten Aufenthalt in der serbischen, seinerzeit jugoslawischen Hauptstadt, kam mir dort, in einer mit Linden, herbstblätterverstreuenden, gesäumten Seitenstraße, beim zufälligen Gehen an einem »Haus der Schriftsteller« vorbei, in den Sinn, daß ich einstmals sogar drinnen gewesen war, bewirtet und nebenbei in meinem juvenilen Autorengehabe freundlichst verspottet von dem gar nicht so viel älteren, damals in ganz Europa berühmten, auch von mir ziemlich begeistert gelesenen Schriftsteller Miodrag Bulatović, »Der rote Hahn fliegt himmelwärts«. (Er ist vor ein paar Jahren gestorben, mitten im jugoslawischen Krieg, bis zuletzt, wie mir in Belgrad erzählt wurde, spottlustig gegen jedermann und zugleich immer hilfsbereit; gab es außerhalb seines Landes Nachrufe auf ihn?)

Es war vor allem der Kriege wegen, daß ich nach Serbien wollte, in das Land der allgemein so genannten »Aggressoren«. Doch es lockte mich auch, einfach das Land anzuschauen, das mir von allen Ländern Jugoslawiens das am wenigsten bekannte war, und dabei, vielleicht gerade bewirkt durch die Meldungen und Meinungen darüber, das inzwischen am stärksten anziehende, das, mitsamt dem befremdenden Hörensagen über es, sozusagen interessanteste. Beinah alle Bilder und Berichte der letzten vier Jahre kamen ja von der einen Seite der Fronten oder Grenzen, und wenn sie zwischendurch auch einmal von der anderen kamen, erschienen sie mir, mit der Zeit mehr und mehr, als bloße Spiegelungen der üblichen, eingespielten Blickseiten – als *Ver*spiegelungen in unseren Sehzellen selber, und jedenfalls nicht als Augenzeugenschaft. Es drängte mich hinter den Spiegel; es drängte mich zur Reise in das mit jedem Artikel, jedem Kommentar, jeder Analyse unbekanntere und erforschungs- oder auch bloß anblickswürdigere Land Serbien. Und wer jetzt meint: »Aha, proserbisch!« oder »Aha, jugophil!« – das letztere ein *Spiegel*-Wort (Wort?) –, der braucht hier gar nicht erst weiterzulesen.

Zwar hatte es in den letzten Jahren schon die eine und die andere Einladung in das geschrumpfte Jugoslawien, nach Serbien oder Crna Gora, Montenegro, gegeben. Aber ich wollte vermeiden, dort jemand Öffentlicher, und wenn auch nur Halböffentlicher, zu sein. Es schwebte mir vor, mich als irgendein Passant, nicht einmal als Ausländer oder Reisender kenntlich, zu bewegen, und das nicht allein in den Metropolen Belgrad oder Titograd (inzwischen Podgorica), sondern, vor allem, in den kleinen Städten und den Dörfern, und womöglich zeitweise auch fern von jeder Ansiedlung. Aber selbstredend brauchte ich zugleich so jemanden wie einen ortskundigen Lotsen, Gefährten und vielleicht Dolmetsch; denn mit meinem löcherigen Slowenisch und den paar serbokroatischen Gedächtnisspuren von einem Sommer auf der Adria-Insel Krk, vor weit über dreißig Jahren, durfte ich mich, sollte es keine übliche Reise werden, nicht begnügen. (Kein Problem dagegen die fremde kyrillische Schrift: daß ich sie, oft stockend, erst entziffern mußte, erschien für das Vorhaben gerade recht.)

Es traf sich, daß ich schon lange zwei Freunde aus Serbien habe, die beide ziemlich jung aus ihrem Land weggegangen sind, in mehr oder weniger großen Abständen aber heimkehren, auch jetzt während des Kriegs: Besuch der Eltern, oder der verwitweten Mutter, und/ oder des einen und anderen ehelichen oder unehelichen Kindes samt frühverlassener serbischer Geliebter. Der eine ist Žarko Radaković, Übersetzer von einigen meiner Dinge ins Serbische, und *à ses heures*, wie es so einleuchtend französisch heißt, »zu seinen Stunden«, selber ein Schreiber; im Geldberuf freilich, nach seinem Studium in Belgrad und dann lange in Tübingen, Übersetzer und Sprecher deutschsprachiger Zeitungsartikel bei der balkanwärts gerichteten Funkstelle der »Deutschen Welle«: selbst da, in einem nicht seltenen Zwiespalt zwischen Serbe-Sein und Gegensprechen-Müssen (so etwa die keinmal auch nur in einem Anhauch »proserbischen« Tendenzkartätschen aus der *FAZ*), ein treulicher Übersetzer – Sprecher dagegen manchmal eher mit versagender Stimme. Mag sein, daß solche Existenz auch zu dem Verstummen beitrug, welches meinen Freund seit Kriegsbeginn befallen hatte, nicht bloß vor der Feindes-, sondern sogar vor der Freundeswelt, und so auch vor mir. Zwar übersetzte er weiterhin dies und jenes, und das kam, trotz des Krieges, in Belgrad, Niš oder Novi Sad als Buch heraus: doch ich erfuhr von ihm nichts mehr davon – Žarko R. lebte, übersetzte und schrieb wie in einer selbstgewählten Verdunkelung. Um ihn darin jetzt aufzuspüren, mußte ich mich an den letzten ihm noch gebliebenen Vertrauten wenden, einen Mormonen weit weg im amerikanischen Bundesstaat Utah. Und wie es solch einem mormonischen Umweg entspricht, fanden der Serbe und ich, der Österreicher, gleichsam im Handumdrehen wieder zusammen: Anruf aus Köln – ja, Anfang November Treffen in Belgrad, »ich besuche da ohnedies gerade meine Mutter« – und für die Woche darauf das Projekt einer gemeinsamen Fahrt an die Grenze nach Bosnien, wo er, ebenfalls »ohnedies«, in einer Kleinstadt an dem Grenzfluß Drina mit seiner dort lebenden einstigen Freundin und der gemeinsamen, inzwischen bald achtzehnjährigen Tochter verabredet war.

Den anderen serbischen Freund, von dem ich mir sein Land und seine Leute nahebringen lassen wollte, kannte ich von dem Fastjahrzehnt meines Lebens in Salzburg. Zlatko B. war Stammgast in einem Lokal der stadtauswärts führenden Schallmooser Hauptstraße, wohin auch ich öfter ging, all die Jahre lang, auch wegen der altväterischen, immer laut eingestellten Jukebox und ihrer nie ausgewechselten Creedence-Clearwater-Revival-Songs, »Have You Ever Seen The Rain?«, »Looking Out The Back Door«, »Lodi«. Zlatko spielte dort anfangs Karten, jeweils um große Summen. Er hatte Serbien, nach einer bäuerlichen Kindheit im Ostland, einer Büromaschinenlehre in Belgrad und der sehr langen Armeezeit in mehreren Winkeln Jugoslawiens, für Österreich verlassen, um, wie er behauptet, reich zu werden. Das war ihm als Arbeiter in einer Salzburger Vorstadtwäscherei nicht gelungen. Und so versuchte er es, zwischendurch Handlanger und Bote in einem Reisebüro, im »Mirjam's Pub« als Berufsspieler, hatte aber, auf sich allein gestellt, gegen die europareifen Spielerbanden, die sich am Ort abwechselten, auf die Dauer keine Chancen. (Im Gedächtnis geblieben ist mir von ihm aus jener Zeit besonders sein nicht eben seltener Blick zum unsichtbaren Himmel nach einem jeden verlorenen Spiel.) Danach wurde er sozusagen beständig ehrlich, ein Gelegenheitsarbeiter, immer prompt, kompetent, beiläufig, und bei Gelegenheit, fast nur auf Bestellung, auch ein Maler seltsamer Genreszenen, weit entfernt von der Buntheit und nicht nur eigengelenkten Phantasie der einst hochgehandelten serbischen Naiven – erinnernd zum Beispiel an die slowenischen Bienenstockmalereien aus dem 19. Jahrhundert (zu betrachten im lieben Museum von Radovljica beim See von Bled) oder die Wirtshausschilder des georgischen Wandermalers Pirosmani. Und wie Žarko R. hatte auch Zlatko B. sich seit dem Ausbruch der jugoslawischen Kriege zurückgezogen, aus der Salzburger Stadt hinaus auf das Land, und hat dann sogar amtlich seinen serbischen Namen abgelegt zugunsten eines deutsch klingenden – in Wahrheit ein

getreuer Anklang an den von ihm hochver-
ehrten niederländischen Kleinszenenmaler aus
dem 17. Jahrhundert, Adrian Brouwer.

Und auch Zlatko B., alias Adrian Br., war mit
meinem Vorschlag einer gemeinsamen Reise
durch sein Serbien auf der Stelle einverstanden. Wir würden seine Weinbauereltern in
dem Dorf Porodin, nah dem Mittserbenfluß
Morawa, besuchen – nur sollte das womöglich
noch vor dem tiefen November sein, damit
wir etwas von dem schönen Herbst und den
Trauben in den Weinbergen hätten. Er zögerte
nur, mit dem eigenen Auto zu kommen, weil
das, so hatte er gehört, in seiner serbischen
Heimat sofort gestohlen würde.

Ende Oktober 1995 machten wir uns so aus
unseren drei verschiedenen Richtungen auf
den Weg nach Belgrad: der eine vom Salzburger Land, quer durch Österreich und Ungarn
(schließlich doch mit seinem Wagen), der andere aus Köln, mit einem Lufthansaflugzeug,
der dritte aus dem Pariser Vorort, nach einer
Autofahrt durch Lothringen und die Schweiz,
mit der Swissair von Zürich, an der Seite
von S. So wurde das eine der wenigen Reisen

meines Lebens, die ich nicht allein unternahm; und die erste, bei der ich fast ständig in Gesellschaft blieb.

Ich hatte mich für Serbien im übrigen nicht besonders vorbereitet. Fast hätten S. und ich sogar versäumt, uns die Visa zu besorgen, so sehr war mir noch das weite Jugoslawien von 1970 bis 1990 im Kopf, überall frei zugänglich und ohne Krieg. Und nun sollte ich gar, bei der zuständigen Stelle in Paris, die keine »Ambassade« mehr war, nur noch eine Notbehörde, einen Reisegrund angeben – »Tourist«, was doch zutraf, wurde als unglaubhaft angesehen (war ich der erste seit Kriegsausbruch?), auch als ungenügend. Zum Glück fand sich endlich eine weltoffene Vertreterin Serbiens, in einem Hinterzimmer, der ich nichts mehr zu erklären brauchte; und diese versicherte außerdem, wir hätten, wo auch immer, in ihrem Land keinen Moment Öffentlichkeit zu fürchten. (Aber was war ihr Land? Sie kam aus der Krajina, inzwischen wie für immer dem Staat Kroatien zugefallen.)
Am Vorabend der Abreise schaute ich in

einem Kino von Versailles noch Emir Kusturicas Film »Underground« an. Die vorigen Filme des Bosniers aus Sarajewo, etwa »Die Zeit der Zigeuner« und »Arizona Dream«, hatte ich einerseits bewundert wegen ihrer mehr als bloß frei schwebenden – ihrer frei fliegenden Phantasie, mit Bildern und Sequenzen so dichtverknüpft und gleichmäßig, daß sie oft übergingen in orientalische Ornamente (was das Gegenteil von Verengung sein konnte), und andererseits hatte ich doch ganz und gar an diesen Bilderflügen vermißt etwas wie eine Erd- oder Land- oder überhaupt Weltverbundenheit, so daß die ganze Phantastik jeweils bald geplatzt war zu augenverstopfenden Phantastereien; und einem Bewundernmüssen habe ich schon immer das Ergriffensein vorgezogen, oder das *Fast*ergriffensein, welches in mir am stärksten nachgeht, anhält, dauert.

Durch »Underground« aber wurde ich da erstmals von einem Film Kusturicas (fast)ergriffen. Endlich war aus der bloßen Erzählfertigkeit eine Erzählwucht geworden, indem nämlich ein Talent zum Träumen, ein gewaltiges, sich verbunden hat mit einem handgreiflichen Stück Welt und auch Geschichte – dem einstigen Jugoslawien, welches des jungen Kusturica Heimat gewesen war. Und war es nicht zum Beispiel eine Wucht – eine Shakespearesche, durchkreuzt immer wieder von jener der Marx Brothers –, wenn in einer großen Szene gegen Schluß, im tiefsten Bürgerkrieg, einer der Filmhelden, auf seiner jahrelangen, verzweifelten Suche nach seinem einst in der Belgrader Donau verschwundenen Sohn, durch den Schlachtenrauch rennend in einem fort wechselt zwischen dem Schreien um sein vermißtes Kind und dem Brüllbefehl: »Feuer!«? Wie töricht oder böswillig kam mir dann so vieles vor von dem, was gegen »Underground« geschrieben worden war. Nicht nur, daß nach der Aufführung in Cannes Alain Finkielkraut, einer der neueren französischen Philosophen, seit Kriegsausbruch ein unbegreiflicher Plapperer für Staatlich-Kroatien, Kusturicas Film, ohne ihn gesehen zu haben, in *Le Monde* Terrorismus, proserbische Propaganda usw. vorwarf: Noch vor einigen Tagen kehrte in *Libération* André Glucksmann, ein anderer neuer Philosoph, in einer grotesken Weise den Spieß um, indem er Kusturica zu seinem Film, den er gesehen habe!, beglückwünschte, als einer Abrechnung mit dem terroristischen serbischen Kommunismus, der, anders als die Deutschen, so gar nichts gelernt habe aus seinen historischen Untaten — wer derartiges aus »Underground« heraussieht, was hat der gesehen? Was sieht der überhaupt? Und ein Kritiker des Films in der deutschen *Zeit*, sonst für manche Lichtblicke gut, fand bei Kusturica Wut, Ressentiment, sogar »Rachsucht«. Nicht doch: »Underground« kommt, ist gemacht, besteht und wirkt, ich sah es, allein aus Kummer und Schmerz und einer kräftigen Liebe; und selbst seine Grobheiten und Lautstärken sind Teil davon — was alles zusammen zuletzt das Hellsichtige, manchmal sogar wie Hellseherische dieser anderen jugoslawischen Geschichte hervorbringt, oder das naturwüchsig Märchenhafte, siehe das festliche Ende auf der von dem Kontinent wegtreibenden Insel, wo der Tölpel des Films, auf einmal gar nicht mehr so verstört, geschweige denn idiotisch, klar und sanftest autoritär, wie eben nur ein Märchenerzähler, sich an die Zuschauer wendet mit seinem »Es war einmal ein Land . . .« (Mir dauerte dort im Kino sein Märchen nur leider gar zu kurz.)

Das Allerärgste freilich, was es bisher gegen Kusturicas Film zu lesen gab, stand wiederum in *Le Monde*, einer der mir einst liebsten Zeitungen, die unter dem ähnlich seriös-distinguierten Anschein von früher – kaum je ein Photo, dichtgesetzte, quasiamtliche Spalten – seit einigen Jahren, und nicht bloß in Ausnahmefällen, abseits von einem weiterhin fast über-gewissenhaften Hauptteil zu einem verdeckt demagogischen Schnüffelblatt geworden ist, und das nicht nur, was zum Beispiel die Krankheit des damaligen Staatspräsidenten Mitterrand angeht, die unter dem Informations-Vorwand vor Jahresfrist seitenweise ausgebreitet wurde mit einer vielleicht zeitgemäßen, gewiß aber nicht zeitgenössischen Sterbensgeilheit. Die Zeitung beschreibt ihre Sujets nicht mehr, geschweige denn, was noch besser, auch nobler wäre, evoziert sie, sondern begrapscht sie – macht sie zu Objekten.

Typisch für die neue Blickrichtung die Art, daß, einst in *Le Monde* undenkbar, Personen gleich anfangs durch ihr Äußeres charakterisiert werden, in der Regel so wie gerade erst, in einer Titelspalte, eine amerikanische Kunstphotographin als »bestrickende ausladende Vierzigerin« (oder so ähnlich) – als bringe die scheinbare Bilderenthaltsamkeit der Zeitung inzwischen eine grundandere Art von Bildern, Wortbilder hervor, und ganz gewiß keine ernstzunehmenden.

Zu »Underground«, da das Redaktionscorps von *Le Monde*, s. Finkielkrauts Infamie, vereinbart hatte, es sei mit Emir Kusturica und seinem proserbischen oder jugophilen Fimmel aufzuräumen, trat nun zu der sprachfadenscheinigen, wie fremdgelenkten Rezension des Hauptfilmkritikers – eines bei Gelegenheit sonst klug und fein tranchierenden Schreibers –, der dem Film seine barokken, d. h. nur mit sich selber spielenden Formen vorwarf, auf ebenden Kulturseiten noch ein Artikel aus der Hand einer Frau, welche mir Zeitungsleser bisher allein als die *Le Monde*-Kriegskorrespondentin in Jugoslawien geläufig gewesen war, und zwar als eine nicht bloß parteiische – warum, in diesem Fall, auch nicht? –, sondern darüber hinaus noch einen unverwüstlichen und geradezu beneidenswert selbstbewußten Haß gegen alles Serbische loslassende, und das Bericht um Bericht. In dem erwähnten Artikel jetzt wollte sie nachweisen, daß der Film von Kusturica, da auf serbischem Boden (und Gewässern) gedreht, sicherlich doch mit Unterstützung dortiger Unternehmen hergestellt worden sei und deswegen dem von den Vereinten Nationen gegen Serbien und Montenegro verhängten Handelsverbot oder Embargo zuwiderhandle. In einer peniblen, gleichsam höchstrichterlichen, dabei vollkommen scheinsachlichen Gründlichkeit zählte sie dann, vielleicht eine Viertelspalte lang, sämtliche etwa gegen den Film »Underground« anwendbaren UN-Resolutionen auf, Paragraphenziffer um Paragraphenziffer, Nebenbestimmung um Nebennebenbestimmung, allesamt pedantisch in eine Schuldstützungslitanei gereiht, addiert, verkettet, wie eben sonst nur in einer unanfechtbaren, endgültigen, unwiderruflichen

Urteilsbegründung – und so suggerierend, Kusturicas Film sei, allein schon als Produkt oder Handelsware, etwas von Grund auf Unrechtes, seine nichtserbischen (französischen und deutschen) »Mithersteller« seien Rechtsbrecher, der Film, jedenfalls in den dem Embargo verpflichteten Staaten, gehöre von der Bildfläche, aus dem Verkehr gezogen (ich übersetze die Suggestion der Kriegsartiklerin hier eher milde), »Underground« habe kein Existenzrecht, und die Produzenten und der Macher Emir Kusturica seien Kriegsgewinnler, zumindest. (Der Gerechtigkeit halber sei erwähnt, daß inzwischen, etwa einen Monat nach Erscheinen dieses Artikels, die Zeitung einen kleinen Leserbrief brachte, worin *Le Monde* höflich gebeten wurde, endlich von dem »schlechten Prozeß« abzulassen – nur stand in einer Nummer danach, verfaßt von einer anderen Frontfrau, schon wieder so ein Bericht, diesmal über die Lage des Fußballclubs »Roter Stern Belgrad«, in Wahrheit, zumindest für den, der Wort für Wort las, eine geschlossene Denunziationskette, mit dem Hammer am Schluß: Der Verein, lange – so weiß es jedenfalls die internationale Presse – liiert mit dem »berüchtigten Banditen und Kriegskiller Arkan«, habe sich von diesem nun doch nicht, wie von der Clubführung behauptet, losgesagt – wie denn sonst fände sich im Roter-Stern-Souvenirlokal neben den Dressen, Aschenbechern und dergleichen auch immer noch eine Videokassette von der »sulfurösen« Hochzeit des Kriegsverbrechers mit der »chauvinistischen Serbenrocksängerin Ceca«?)

Ich habe mich so lange bei diesen (vielleicht) Nebenschauplätzen und faulen Sprachspielen aufhalten müssen, die weniger eines Philip Marlowe würdig sind als der Sittenpolizei, weil die hier anzitierte Weise eines fast rein von einer im voraus gespannten Schnüffelleine diktierten Redens mir bezeichnend erscheint für einen übermächtigen Strang der Veröffentlichungen über die jugoslawischen Kriege, seit deren Anbeginn. – Was, willst du etwa die serbischen Untaten, in Bosnien, in der Krajina, in Slawonien, entwirklichen helfen durch eine von der ersten Realität absehende Medienkritik? – Gemach. Geduld. Gerechtigkeit.

Das Problem, nur meines?, ist verwickelter, verwickelt mit mehreren Realitätsgraden oder -stufen; und ich ziele, indem ich es klären will, auf etwas durchaus ganz Wirkliches, worin alle die durcheinanderwirbelnden Realitätsweisen etwas wie einen Zusammenhang ahnen ließen. Denn was weiß man, wo eine Beteiligung beinah immer nur eine (Fern-) Sehbeteiligung ist? Was weiß man, wo man vor lauter Vernetzung und Online nur Wissensbesitz hat, ohne jenes tatsächliche Wissen, welches allein durch Lernen, Schauen und Lernen, entstehen kann? Was weiß der, der statt der Sache einzig deren Bild zu Gesicht bekommt, oder, wie in den Fernsehnachrichten, ein Kürzel von einem Bild, oder, wie in der Netzwelt, ein Kürzel von einem Kürzel?

Zwei Dinge, von denen ich, schlimmer als von Verwirrspielen, nicht loskomme, und das nun schon seit viereinhalb Jahren, seit dem Juni 1991, dem Beginn des sogenannten Zehntagekrieges in Slowenien, den Startschüssen für das Auseinanderkrachen Jugoslawiens – zwei Dinge: eine Zahl und ein Bild, eine Photographie. Die Zahl: Etwa siebzig Menschen sind bei jenem Initialkrieg umgekommen, sozusagen wenig im Vergleich zu den Vielzehntausenden in den Folgekriegen. Jedoch wie kam es, daß beinahe alle der siebzig Opfer? Angehörige der jugoslawischen Volksarmee waren, die schon damals als der große Aggressor galt und, in jedem Sinn weit in der Übermacht, mit den wenigen slowenischen Unabhängigkeitsstreitern ein gar leichtes Spiel (Spiel?) gehabt hätte? (Das Zahlenverhältnis ist bekannt, ohne freilich, seltsamerweise, je eingedrungen zu sein in das Weltbewußtsein.) Wer hat da auf wen geballert? Und gab es nicht vielleicht sogar einen ausdrücklichen Armeebefehl, keinesfalls zurückzuschlagen, da man sich trotz allem noch unter südslawischen Brüdern wähnte und sich, wenigstens von der einen Seite, an solchen Glauben oder Wahn auch halten wollte? – Und das Photo dazu sah ich dann im *Time*-Magazine: eine eher schüttere Gruppe von Slowenen in leicht phantastischer Kampfkleidung, die neukreierte Republik mittels Spruchband und Flagge präsentierend. Und es fanden sich, so meine Erinnerung, da kaum richtig junge Leute darunter, oder jedenfalls hatte die Schar oder Truppe nichts Jugendliches – vordringlich im Sinn sind mir von den Freiheitskämpfern eher schmerbäuchige Mittdreißiger, aufgepflanzt eher wie gegen Ende eines Schwerenöterausflugs, die Fahnen als Dekor eines Freilufttheaters, und bis heute will mir mein erster Gedanke zu jenem Bild nicht aus dem Kopf, es seien solche halblustigen Freizeittypen, keine Freiheitskämpfer, welche die fast siebzig, mitsamt ihren überlegenen Waffen nicht aus noch ein wissenden jungen Soldaten mir nichts, dir nichts abgeschossen haben. Natürlich ist das vielleicht Unsinn – der aber zeigt, wie sich so ausgestrahlte Reporte und Bilder bei einem Empfänger um- oder verformen.

Ähnlich passierte es mir mit den folgenden Kriegsberichten, oft und öfter. Wo war der die Realitäten verschiebende, oder sie wie bloße Kulissen schiebende, Parasit: in den Nachrichten selber oder im Bewußtsein des Adressaten? Wie kam es etwa, daß ich es im ersten Moment ganz nachfühlen konnte, als Ende

November 1991, bei der Meldung von dem
Fall der Stadt Vukovar, noch am Abend desselben Tages das Schild der Pariser Métro-
station *Stalingrad* von einer so empörten wie
ergriffenen Passantenhand umgeschrieben
wurde zu *Vukovar*, ich das als eine so aktuelle
wie biblische Handlung sah, oder als Kunst-
und Polit-Akt in Idealunion – und daß doch
schon am nächsten Morgen, wie manchmal
bei einem für den Augenblick zwar packen-
den, aber schon gleich nach dem Wort ENDE
nicht mehr ganz so, und später beim Bedenken immer weniger plausiblen Film (in der
Regel aus Hollywood), meine Anzweifelun-
gen einsetzten, wie denn »Stalingrad« und
»Vukovar« sich aufeinander reimen könnten.
Wie etwa sollte ich jemals jenen Spruch eines
Haßleitartiklers der *Frankfurter Allgemeinen Zeitung* aus dem in Ostslawonien jetzt Geschehenen heraushalten, wonach die in Kroatien
(also auch in und um Vukovar) ansässigen Serben, bislang jugoslawische Bürger, gleichran-
gig mit ihren kroatischen Landsleuten, in der
Verfassung für den über ihre Köpfe hin beschlossenen Neustaat Kroatien, auf einmal als

eine Volksgruppe zweiten Ranges vorgesehen waren – wonach also diese ungefragt einem kroatischen Staat, und nicht mehr bloß einer kroatischen Verwaltung, einzuverleibenden etwa sechshunderttausend Serbenleute sich gehörigst, gefälligst, gehorsamst, laut Dekret des deutschen Journalisten, »als Minderheit fühlen (so!) sollen«!? »Gut, zu Befehl, ab heute sind wir einverstanden, uns in unserem eigenen Land als eine Minderheit zu fühlen, und sind demgemäß auch einverstanden, von eurer kroatischen Verfassung als eine solche eingestuft zu werden«: Das wäre demnach der Ausweg vor dem Krieg in der Krajina und um die Stadt Vukovar gewesen? Wer war der erste Aggressor? Was hieß es, einen Staat zu begründen, dazu einen seine Völker vor- und zurückreihenden, auf einem Gebiet, wo doch seit Menschengedenken eine unabsehbare Zahl von Leuten hauste, welcher solcher Staat höchstens passen konnte wie die Faust aufs Auge, d. h., ein Greuel sein mußte, in Erinnerung an die nicht zu vergessenden Verfolgungen durch das hitlerisch-kroatische Ustascharegime? Wer also war der Aggressor? War derjenige, der einen Krieg provozierte, derselbe wie der, der ihn anfing? Und was hieß »anfangen«? Konnte auch schon solch ein Provozieren ein Anfangen sein? (»Du hast angefangen!« – »Nein, du hast angefangen!«) Und wie hätte ich, Serbe nun in Kroatien, mich zu solch einem gegen mich und mein Volk beschlossenen Staat verhalten? Wäre ich, obwohl doch vielleicht tief ortsverbunden, auch durch die Vorfahrenjahrhunderte, ausgewandert, meinetwegen auch »heim« über die Donau nach Serbien? Vielleicht. Wäre ich, wenn auch auf einmal zweitklassiger Bürger, wenn auch zwangskroatischer Staatsbürger, im Land geblieben, zwar unwillig, traurig, galgenhumorig, aber um des lieben Friedens willen? Vielleicht. Oder hätte ich mich, stünde das in meiner Macht, zur Wehr gesetzt, natürlich nur mit vielen anderen meinesgleichen, und zur Not sogar mit Hilfe einer zerfallenden, ziellosen jugoslawischen Armee? Wahrscheinlich, oder, wäre ich als so ein Serbe halbwegs jung und ohne eigene Familie, fast sicher. Und kam es nicht so, bekanntlich mit dem Einrücken der ersten kroatischen Staatsmiliz in die serbischen Dörfer um Vukovar, zu dem Krieg, zu welchem selber aber jemand wie ich nichts zu sagen hat; denn noch immer gilt eben jenes schreckliche »Krieg ist Krieg«, und das noch schrecklichere: Bruderkrieg ist Bruderkrieg. Und wer das nun, statt als Gewürgtheit, als Gleichgültigkeit versteht, auch der braucht hier nicht weiterzulesen. (Gibt nicht die vielfach in deutschen Zeitungen bloßgestellte »Herzlosigkeit«, die wie ostentative, des serbisch-jüdischen Autors Aleksandar Tišma mit eben seinem »Krieg ist Krieg« mehr, weit mehr zu bedenken als alle die Empörungslippenbewegungen, die erpresserischen, fern von einem Urschrei?)

Später, als dann vom Frühjahr 1992 an die ersten Bilder, bald schon Bildserien, oder Serienbilder, aus dem bosnischen Krieg gezeigt wurden, gab es einen Teil meiner selbst (immer wieder auch für »mein Ganzes« stehend), welcher die bewaffneten bosnischen Serben, ob Armee oder Einzeltöteriche, insbesondere die auf den Hügeln und Bergen um Sarajewo, als »Feinde des Menschengeschlechts« emp-

fand, in Abwandlung eines Worts von Hans
Magnus Enzensberger zu dem irakischen
Diktator Saddam Hussein; und hätte im weiteren Verlauf, bei den Berichten und Abbildungen aus den serbisch-bosnischen Internie-
rungslagern, gewissermaßen den Satz eines,
dabei doch serbischen, Patrioten, des Poeten
und damaligen Oppositionellen Vuk (»Wolf«)
Drašković unterschreiben können, wonach
nun, durch das Gemetzel in Bosnien-Herzegowina, auch das Volk der Serben, bisher in
der Geschichte kaum je die Täter, oder Erst-
Täter, ein schwerschuldbeladenes, eine Art
Kainsvolk, geworden sei. Und nicht bloß einmal, nicht bloß für den Augenblick, angesichts wieder eines in einer der Leichenhallen
von Sarajewo wie im leeren Universum allein-
gelassenen getöteten Kindes – Photographien
übrigens, für die spanische Zeitungen wie *El
País* Vergrößerungs- und Veröffentlichungs-
weltmeister sind, nach ihrem Selbstbewußt-
sein wohl in der Nachfolge Francisco Go-
yas? –, fragte ich mich dazu, wieso denn nicht
endlich einer von uns hier, oder, besser noch,
einer von dort, einer aus dem Serbenvolk per-

sönlich, den für so etwas Verantwortlichen, d. h. den bosnischen Serbenhäuptling Radovan Karadžić, vor dem Krieg angeblich Verfasser von Kinderreimen!, vom Leben zum Tode bringe, ein anderer Stauffenberg oder Georg Elser!?

Und trotzdem, fast zugleich mit solchen ohnmächtigen Gewaltimpulsionen eines fernen Sehbeteiligten, wollte ein anderer Teil in mir (der freilich nie für mein Ganzes stand) diesem Krieg und diesen Kriegsberichterstattungen nicht trauen. Wollte nicht? Nein, konnte nicht. Allzu schnell nämlich waren für die sogenannte Weltöffentlichkeit auch in diesem Krieg die Rollen des Angreifers und des Angegriffenen, der reinen Opfer und der nackten Bösewichte, festgelegt und fixgeschrieben worden. Wie sollte, war gleich mein Gedanke gewesen, das nur wieder gut ausgehen, wieder so eine eigenmächtige Staatserhebung durch ein einzelnes Volk – wenn die serbokroatisch sprechenden, serbischstämmigen Muselmanen Bosniens denn nun ein Volk sein sollten – auf einem Gebiet, wo noch zwei andere Völker ihr Recht, und das gleiche Recht!, hatten, und die sämtlichen drei Völkerschaften dazu kunterbunt, nicht bloß in der meinetwegen multikulturellen Hauptstadt, sondern von Dorf zu Dorf, und in den Dörfern selber von Haus zu Hütte, neben- und durcheinanderlebten? Und wie hätte wiederum ich mich verhalten, als ein Serbe dort in Bosnien, bei der, gelind gesagt, Ellenbogenbegründung eines, gelind gesagt, mir gar nicht entsprechenden Staates auf meinem, unserm, Gebiet? Wer nun war der Angreifer? (Siehe oben.)

Und ging es im Verlauf dann der Begebenheiten nicht vielen fernen Zuschauern eine ganze Zeitlang so, daß, falls zwischendurch einmal ausnahmsweise eins der Kriegsopferbilder die Legende »Serbe« hatte, wir das für einen Irrtum, einen Druckfehler, jedenfalls für die zu vernachlässigende Ausnahme ansahen? Denn wenn es in der Tat solche unschuldigen serbischen Opfer gab, dann konnten sie, entsprechend ihrem so spärlichen weltöffentlichen Vorkommen, doch nur im Verhältnis eins zu eintausend – ein serbischer Toter zu tausend muslimischen – stehen. Welche Kriegsseite war, was die Getöteten und die Gemarterten betraf, fürs Berichten und Photographieren die Butterseite? Und wieso wurden diese Seiten dann erstmals ein bißchen gewechselt im Sommer 1995, mit der Vertreibung der Serben aus der Krajina – obwohl es auch da nicht die Gesichter von Ermordeten, sondern »nur« von Heimatlosen zu sehen gab, und dazusuggeriert wurde, »dieselben« hätten ja zuvor ein anderes Volk vertrieben? Und paßt dazu nicht die gerade vom Internationalen Gerichtshof veröffentlichte Zahl der Kriegsverbrechensverdächtigen im jugoslawischen Krieg?: 47 (siebenundvierzig) Serben, 8 (acht) Kroaten, und einem Moslem (1) sei man in Den Haag vielleicht auf der Spur – so als werde auch für diese Seite formhalber einer gebraucht, ein Alibikriegsverbrecher ähnlich sonst einem Alibisamariter.

Aber war es nicht schon vor den Bildern von den Flüchtlingstrecks aus der Krajina diesem und jenem fernen Zuseher auffällig, wie die bis dahin fast verschwindenden serbischen Leidtragenden in der Regel grundanders in

Bild, Ton und Schrift kamen als die Hekatomben der anderen? Ja, auf den Photos usw. von den paar ausnahmsweise nachrichtenwürdigen ersteren erschienen mir diese in der Tat als »verschwindend«, so im alleraugenfälligsten Gegensatz zu ihren Kummer- und Trauergenossen aus den beiden übrigen Kriegsvölkern: Diese, so war es jedenfalls nicht selten zu sehen, »posierten« zwar nicht, doch waren sie, durch den Blick- oder Berichtsblickwinkel, deutlich in eine Pose gerückt: wohl wirklich leidend, wurden sie gezeigt in einer Leidenspose. Und im Lauf der Kriegsberichtsjahre, dabei wohl weiterhin wirklich leidend, und wohl mehr und mehr, nahmen sie für die Linsen und Hörknöpfe der internationalen Belichter und Berichter, von diesen inzwischen angeleitet, gelenkt, eingewinkt (»He, Partner!«), sichtlich wie gefügig die fremdgewünschten Martermienen und -haltungen ein. Wer sagt mir, daß ich mich irre oder gar böswillig bin, wenn ich so zu der Aufnahme des lauthals weinenden Gesichts einer Frau, Close Up hinter den Gittern eines Gefangenenlagers, das gehorsame Befolgen der Anweisung

des Photographen der Internationalen Presse-
agentur außerhalb des Lagerzaunes förmlich
*mit*sehe, und selbst an der Art, wie die Frau
sich an den Draht klammert, etwas von dem
Bilderkaufmann ihr Vorgezeigtes? Mag sein,
ja, ich irre mich, der Parasit ist in *meinem* Auge
(das Kind, auf dem einen Photo groß, schrei-
end, im Arm der einen Frau, seiner Mutter?,
und auf dem Folgephoto weit weg in einer
Gruppe, wie seelenruhig im Arm einer anderen Frau, seiner richtigen Mutter?): – doch
weshalb habe ich solche gar sorgfältig kadrier-
ten, ausgeklügelten und eben wie gestellten
Aufnahmen noch keinmal – jedenfalls nicht
hier, im »Westen« – von einem serbischen
Kriegsopfer zu Gesicht bekommen? Weshalb
wurden solche Serben kaum je in Großauf-
nahmen gezeigt, und kaum je einzeln, sondern
fast immer nur als Grüppchen, und fast immer nur im Mittel- oder fern im Hintergrund,
eben verschwindend, und auch kaum je, anders als ihre kroatischen oder muselmani-
schen Mitleidenden, mit dem Blick voll und
leidensvoll in die Kamera, vielmehr seit- oder
bodenwärts, wie Schuldbewußte? Wie ein

fremder Stamm? – Oder wie zu stolz zum Po-
sieren? – Oder wie zu traurig dafür?

So konnte ein Teil von mir nicht Partei ergrei-
fen, geschweige denn verurteilen. Und das
führte dann, und nicht allein mich, zu solch
grotesken und dabei vielleicht nicht ganz un-
verständlichen Mechanismen (?), wie sie der
noch junge französische Schriftsteller (mit
einer kroatischen Mutter) Patrick Besson in
einem Plädoyer, eher einem Pamphlet für die
Serben (ein »Pamphlet« *für*?) vor ein paar Mo-
naten fast durchwegs einleuchtend und jedenfalls zwischen Witz und Aberwitz beschrieben
hat. Das Pamphlet fängt damit an, daß er, Besson, die Kriegsbestien zunächst auf der näm-
lichen Seite gesehen habe wie all die anderen
westlichen Zuschauer, eines Tages dann aber –
so listig spielt er den Nachrichtenkonsumen-
ten und launischen Pariser Modemenschen –
solche Monotonie über und über hatte. Das
Folgende hat dann freilich nichts mit Launen
zu tun, einzig mit des Verfassers Sprach- und
Bildempfindlichkeit. Nachdem er an die Lei-
dens- und Widerstandsgeschichte Jugosla-

wiens im Zweiten Weltkrieg sehr ausdrücklich erinnert hat – wie sie unsereinem kaum im Gedächtnis ist, und zu der wir von den Betroffenen jetzt endliches Vergessen, bis in die Kinder und Kindeskinder, verlangen –, fädelt Besson in einem zornigen Schwung alle die eingefahrenen Medienstandards zu dem gegenwärtigen jugoslawischen Geschehen auf, in einer Art Fortsetzung des Flaubertschen »Wörterbuchs der Gemeinplätze«, nun allerdings weniger zum Lachen als zum Weinen und Schreien zugleich. Als Beispiel hier nur sein Zitieren der üblichen Zeichnung des Radovan Karadžić: Wie es sich etwa eingespielt habe, bei diesem automatisch seinen Psychiaterberuf mitzuerwähnen, denn bekanntlich, siehe Flaubert, haben ja auch alle die Geisteskranken Behandelnden selbst einen Schatten, und wie er zudem in den Veröffentlichungen von Wien bis Paris regelmäßig mit »Doktor« tituliert werde, in offensichtlicher Parallele zu jenem »Dr. Strangelove« (oder Dr. Seltsam), welcher in dem Film von Stanley Kubrick unsere Welt in die Luft jagen will usw. usw. Und wie es sich ergab, kam mir zugleich mit der

Lektüre von Bessons Pamphlet in *Le Monde*
eine Art Porträt des Serbenführers unter, worin Epinalbild um Epinalbild, Klischee um
Klischee, ebendas erwähnte Sprachverfahren,
und zwar als quasiseriöse Wiedergabe einer
Wirklichkeit, praktiziert wurde, mit noch ein
paar Gemeinplätzen mehr, etwa: die Gedichte, welche der Psychiater Dr. K. schreibe,
natürlich »nebenbei«, würden von niemand
gelesen, und sie seien, natürlich, »mittelmä-
ßig« usw. Und einer jener grotesken Mechanismen auf derartiges, jedenfalls bei mir: ich
wollte so ein Gedicht von Karadžić lesen —
ebenso wie die Redensarten von der Mörder-
braut und chauvinistischen Sängerin Ceca mir
Lust auf deren Lieder machten. Und ein vielleicht ähnlicher Mechanismus bei Patrick Besson: wie er jenen Radovan Karadžić, nach
allen den Fertigteilberichten, dann einmal in
Pale leibhaftig vor Augen bekommt und ihn
als eine alternde, müde, wie abwesende, ziemlich traurige Frau schildert — eine beinah lie-
bevolle Beschreibung — ein unzulässiger Ge-
genmechanismus?
Jedenfalls scheinen solche Mechanismen oder

eher Gegenwehren oder eher Gegenläufigkeiten mir erwähnenswert, auch weil sie Gefahr laufen, aus dem Gleichgewicht und dem Gerechtigkeitssinn zu geraten – etwa so wie das vielleicht einzige Epinal-Bildchen bei Bessons Serbenverteidigung, womit ihm eine ähnlich trübe Stereotype aus der Hand rutscht wie denen, auf die er mit seinem Pamphlet abzielt: Er erzählt da von einer Versammlung der Krieger in eben dem Pale, und die bosnisch-serbischen Soldaten kommen ganz anders vor, als unsereiner sie geläufig hat, was vielleicht auch einmal recht wäre, stiegen aus der kleinen Schilderung die Jungmänner nicht gar zu fein heraus, satzweise nah an dem »Frisch, Fröhlich, Frei«. So dachte ich dann, es könnte die Gefahr solcher Gegenläufigkeiten sein, daß in ihnen sich etwas äußere, was vergleichbar wäre mit den Glorifizierungen einst des Sowjetsystems durch manche Westreisende der dreißiger Jahre. Freilich: Ist es ein irrläuferischer Mechanismus, wenn einer zu einem jeden neuen Journalistenbericht von wieder so einer Horde *Slivovica* trinkender serbischer Nationalisten, bäuerlicher Illuminierter und Para-

noiker vor sich eine gar nicht so unähnlich
üble Auslandsreporterhorde sieht, abends an
einer Hotelbar, in der Hand statt des Pflaumenschnaps eben einen aus Trauben oder
sonstwas gebrannten? Oder wenn einer man-
chem Journalisten zu dessen einhundertstem,
immer gleichgereimtem Jugoslawien-Artikel
zwar nicht gerade ein Stück glühender Kohle,
wie bei dem Propheten Jesaja, auf die Lippen
wünscht, aber doch einen kleinen Brennessel-
wickel um seine Schreibhand.

Das Folgende hier kommt jedoch nicht bloß
aus meinem vielleicht mechanistischen Miß-
trauen gegen eure oft wie eingefahrenen He-
roldsberichte, sondern sind Fragen zu der
Sache selbst: Ist es erwiesen, daß die beiden
Anschläge auf Markale, den Markt von Sarajewo, wirklich die Untat bosnischer Serben waren, in dem Sinn, wie etwa Bernard Henri-
Lévy, auch ein neuer Philosoph, einer von den
mehr und mehr Heutigen, welche überall sind
und nirgends, gleich nach dem Anschlag po-
saunenstark und in einer absurden Gramma-
tik wußte: »Es wird sich zweifelsfrei heraus-

stellen, daß die Serben die Schuldigen sind!«? Und noch so eine Parasiten-Frage: Wie war das wirklich mit Dubrovnik? Ist die kleine alte wunderbare Stadtschüssel oder Schüsselstadt an der dalmatinischen Küste damals im Frühwinter 1991 tatsächlich gebombt und zerschossen worden? Oder nur – arg genug – episodisch beschossen? Oder lagen die beschossenen Objekte außerhalb der dicken Stadtmauern, und es gab Abweicher, Querschläger? Mutwillige oder zufällige, in Kauf genommene (auch das arg genug)?

Und schließlich ist es mit mir sogar so weit gekommen, daß ich, nicht nur mich, frage: Wie verhält sich das wirklich mit jenem Gewalttraum von »Groß-Serbien«? Hätten die Machthaber in Serbien, falls sie den in der Tat träumten, es nicht in der Hand gehabt, in der rechten wie in der linken, ihn kinderleicht ins Werk zu setzen? Oder ist es nicht auch möglich, daß da Legendensandkörner, ein paar unter den unzähligen, wie sie in zerfallenden Reichen, nicht nur balkanischen, durcheinanderstieben, in unseren ausländischen Dunkelkammern vergrößert wurden zu Anstoßsteinen? (Noch vor kurzem begann in der *Frank-furter Allgemeinen* eine angebliche Chronik der vier jugoslawischen Kriegsjahre schon im Untertitel mit der Schuldzuweisung für den Zerfall des Landes an die anonymen Memorandum-Verfasser der Serbischen Akademie von 1986: »Der Krieg im ehemaligen Jugoslawien begann in der Studierstube / Wissenschaftler liefern die ideologische Begründung für den großen Konflikt.«) Hat sich dann am Ende nicht eher ein »Groß-Kroatien« als etwas ungleich Wirklicheres, oder Wirksameres, oder Massiveres, Ent- und Beschlosseneres erwiesen als die legendengespeisten, sich nie und nirgends zu einer einheitlichen Machtidee und -politik ballenden serbischen Traumkörnchen? Und wird die Geschichte der Zerschlagungskriege jetzt nicht vielleicht einmal ziemlich anders geschrieben werden als in den heutigen Voraus-Schuldzuweisungen? Aber ist sie durch diese nicht schon längst für alle Zukunft festgeschrieben? Festgeschrieben? Nicht eher starrgestellt?, wie nach 1914, wie nach 1941 – starrgestellt und starrgezurrt auch im Bewußtsein der jugoslawischen Nachbar-

völker, Österreichs vor allem und Deutsch-
lands, und so bereit zum nächsten Losbre-
chen, zum nächsten 1991? Wer wird diese
Geschichte einmal anders schreiben, und sei
es auch bloß in den Nuancen – die freilich viel
dazutun könnten, die Völker aus ihrer gegenseitigen Bilderstarre zu erlösen?

2

Der Reise erster Teil:
Zu den Flüssen Donau, Save und Morawa

Was ich von unserer Reise durch Serbien zu erzählen habe, sind allerdings nicht vorsätzliche Gegenbilder zu den vielfach vorgestanzten Gucklöchern auf das Land. Denn was sich mir eingeprägt hat, das waren, ohne meinen Vorsatz und ohne mein Zutun, fast einzig dritte Dinge – jenes Dritte, welches bei dem deutschen Epiker Hermann Lenz »nebendraußen« zu sehen oder sichten ist, und welches bei dem alten Philosophen (nichts aber gegen neue Philosophen, ich würde zeitweise so einen brauchen) Edmund Husserl »die Lebenswelt« heißt. Und natürlich war ich mir dabei stetig mitbewußt, mich in dem in einen Krieg verwickelten Staat Serbien, Teilstaat der geschrumpften Bundesrepublik Jugoslawien, zu bewegen. Solch Drittes, solche Lebenswelt lag nicht etwa neben oder abseits der Aktualitäts- oder Zeit-Zeichen.

Vor dem Abflug in Zürich hatte ich mir noch ein kleines Langenscheidt-Wörterbuch gekauft: wo da auf dem üblichen gelben Umschlag einst »Serbokroatisch« stand, hieß es jetzt nur noch »Kroatisch« (Auflage von 1992), und ich fragte mich dann beim Durchblättern, ob hinten, unter »Gebräuchliche Abkürzungen«, schon zu der Zeit, da auch das Serbische noch ausdrücklich mittun durfte, »DIN, Deutsche Industrienorm« vorkam; Neubearbeitung durch »Prof. Dr. Reinhard Lauer«, der so ziemlich im selben Jahr, geheuert von der *FAZ*, dort wiederholt das gesamte serbische Volk, mitsamt seinen Dichtern, an welchen die Aufklärung vorbeigegangen sei, von, sagen wir, dem Romantiker Njegoš bis zu Vaško Popa, der gefährlichsten Mythenkrankheiten zieh, siehe Identifizierung mit dem Wolf!, siehe Popas Wolfsgedichte!

Im Unterschied zu den anderen Zürcher Flugsteigen machte von den Passagieren für Belgrad kaum einer den Mund auf, und auch während des Flugs dann blieben wir eher stumm, so als fühlten selbst die Serben in dem Flugzeugbauch, weit in der Mehrheit (Auslandsarbeiter? Elternbesucher?), sich unterwegs zu einem Ziel, das ihnen nicht recht geheuer war.

Bei der Landung im flachen, längst abgeernteten Land, weit und breit nichts zu spüren von der Millionenstadt Belgrad, der »einzigen kosmopolitischen Stadt auf dem Balkan« (Dragan Velikić, von ihm später), machte S. mich aufmerksam auf eine Gruppe von Leuten oder Silhouetten nah am Rollfeld, welche dort an einem Ackerrand ein Ferkel brieten. Zugleich stiegen überall andere und andere spätherbstliche Rauchsäulen auf. Ich hatte zuvor in einem Buch des heutigen serbischen Romanciers Milorad Pavić gelesen, wo eine Frau, ihren Geliebten küssend, ihm mit der Zunge dabei einzeln die Zähne abzählte; und wo es hieß, das Fleisch der Fische aus Flüssen, die, wie die Morawa, von Süden nach Norden strömten, tauge nichts; und daß es barbarisch sei, beim Mischen des Weins das *Wasser* zuzugießen, statt vielmehr umgekehrt.

Und dann stand am Flugplatzausgang mein Freund und Übersetzer Žarko, aus Köln uns vorausgeflogen. Mehrere Jahre hatte ich ihn nicht gesehen, und trotzdem war ich jetzt fast enttäuscht, abgeholt zu werden; hätte diese erste Schwelle zum fremden Land, um da hineinzufinden, lieber allein überwunden – worauf er, so als hätte ich das ausgesprochen, sagte, auch er sei inzwischen ziemlich fremd in Belgrad und in Serbien (was von der Unbeholfenheit seiner Bewegungen, bis zum Öffnen der Hoteltür, dann bestätigt wurde).

Auf der Fahrt durch die Neustädte, das »Novi Beograd«, von Zeit zu Zeit, zwischen der vielen, fast schon steppenhaften Leere, in gleichmäßigen Abständen so etwas wie Massenansammlungen an den prospektbreiten Einfallsstraßen, dichtauf und dabei weit auseinandergezogen: da wartete gleichsam die gesamte Bevölkerung, jetzt mitten am sonst wie arbeitslosen Nachmittag – alle Neubauten unvollendet stehengelassen, wie schon seit langem –, angeblich auf die Busse und Straßenbahnen, und auch das wie schon seit sehr langem, und jedenfalls nicht mehr mit dem Anschein von Wartenden. Und wieder war es S., die mich auf die noch häufigeren Grüppchen der wilden Benzinverkäufer mit ihren

Plastikkanistern hinwies; wie so oft, und nicht bloß dort in der speziellen Gegend, übersah ich in den ersten Momenten alle die vorausgewußten Realitätsembleme.

Im Hotel »Moskwa«, einem eleganten, mit den Tagen dann geradezu edel wirkenden Straßeneckbau von der Jahrhundertwende, im Zentrum der Stadt, auf der Terrasse über Save und Donau (serbisch »Dunav«), waren, während unten am Empfang eine ganze Brigade von Angestellten, samt deren Freunden?, ziemlich müßigging, fast alle Zimmer unbelegt, und es erschien uns zunächst in dem unsern, wir seien seit langem die ersten Gäste, und für noch länger auch die letzten. Aus S.'s Ausblick, von der hohen Balkontür hinab auf den blätterüberwehten, von Altautos rumpelnden und hustenden, so gar nicht pariserischen Boulevard, nein »bulevar«, nein, БУЛЕВАР, spürte ich ihr französisches »dépaysement« auf mich übergehen, ihr Befremden, ihr hier Fremdsein, oder, wörtlich übersetzt, ihr »Außer-Landes-Geratensein«, ihr »Außer-Landes-Sein« (wie Außer-sich-Sein), und hätte uns da meinen anderen serbischen Freund

herbeigewünscht, den ehemaligen Wäscherei-
arbeiter und Glücksspieler, welcher überall,
ob in Salzburg oder hier in seiner Hauptstadt,
sofort ansteckend heimisch gewesen wäre,
oder zumindest alles Bedürfnis nach einem
Heimischsein ansteckend verachtet hätte. (Er
verspätete sich auf seiner Fahrt durch Ost-
europa um zwei Tage.)

Was mich angeht, so ereignete sich das »re-
paysement«, das »Zurück-ins-Land-Geraten«,
gleich danach eben auf dem fremden Bulevar,
beim Besorgen einer Sache in einem Laden,
und zwar schon im Niederdrücken der uralten
Eisenklinke dort und dem fast mühsamen
Aufstoßenmüssen der Ladentür, und wurde
dann endgültig, galt für alle die folgenden
Tage, mit dem Aussprechen des zuvor auf der
Straße eingelernten und jetzt von der Verkäu-
ferin auf der Stelle verstandenen Warenworts.
Und auch S. schien sozusagen trittfest zu werden beim vorabendlichen Gehen durch die
wider Erwarten ganz und gar nicht dunkle
Belgrader Innenstadt in Richtung des Kale-
megdan, der alten Türkenfestung hoch über
dem Zusammenfluß von Save und Donau.

Nur Žarko, der Einheimische, unser Lotse, stolperte, verhaspelte sich, verirrte sich, verwechselte die Himmelsrichtungen, und konnte nicht aufhören, von seinem Fremdgewordensein in der eigenen Kapitale zu reden, wo er doch schon seit Tagen jetzt wieder wohnte, umsorgt von seiner Mutter, worauf ich dachte, er sei wohl in Belgrad immer schon fremd gewesen – mit seiner Antwort dann gleichsam wieder: im Grunde sei er zu Hause nur draußen in der Vorstadt Zemun, an der Donau, wo diese schon in der pannonischen Ebene fließe, seinem Geburts-, Kindheits- und Ausguckort.

Dieser erste Belgrader Abend war lau, und der Halbmond leuchtete nicht nur über der Türkenfestung. Es waren sehr viele Menschen unterwegs, wie eben in einem großen südeuropäischen Zentrum. Nur wirkten sie auf mich nicht bloß schweigsamer als, sagen wir, in Neapel oder Athen, sondern auch bewußter, ihrer selber wie auch der anderen Passanten, auch aufmerksamer, im Sinn einer sehr besonderen Höflichkeit, einer, die, statt sich zu zeigen, bloß andeutete, in einer Art des

Gehens, wo auch in der Eile es keinmal zu einem Gerempel kam, oder in einem ähnlich gleichmäßigen, wie dem andern raumlassenden Sprechen, ohne das übliche Losgellen, Anpfeifen und Sich-Aufspielen vergleichbarer Fußgängerbereiche; und auch die zahlreichen Straßenhändler niemanden anredend, vielmehr still für die Kundschaft bereit (es gab eine solche, entgegen meinem Vorausbild); und ich habe an diesem Abend, wie ich auch unwillkürlich Ausschau hielt, keinen serbischen Slivovitztrinker gesichtet, dafür, um einen Straßenbrunnen, Leute, die Wasser tranken, von der Hand in den Mund; und nirgends auch eine Parole oder eine Anspielung auf den Krieg, und kaum einen Polizisten, jedenfalls deutlich weniger als anderswo in einem Stadtweichbild. S. meinte nachher, diese Belgrader seien ernst und bedrückt gewesen. Mir dagegen erschien die Bevölkerung, zumindest so auf den ersten Blick, eigentümlich belebt (ganz anders als damals im Theater, vor dreißig Jahren), und zugleich, ja, gesittet. Aus allgemeinem Schuldbewußtsein? Nein, aus etwas wie einer großen Nachdenklichkeit, einer übergroßen Bewußtheit, und – fühlte ich dort, denke ich jetzt hier – einer geradezu würdevollen kollektiven Vereinzelung; und vielleicht auch aus Stolz, eines freilich, welcher nicht auftrumpfte. »Die Serben sind bescheiden geworden«, las ich später dazu in der *Zeit*. Geworden? Wer weiß? Oder, in meiner liebsten Redensart (österreichisch), neben »Dazu hättest du früher aufstehen müssen!«: »Was weiß ein Fremder?«

Wer waren die vielen alten Männer, welche tags darauf, fast ein jeder für sich, in dem von beiden Flüssen aufsteigenden, schon vorwinterlichen Nebel auf dem Gelände der Kalemegdan-Ruinen so schweigsam müßiggingen? Weder hatten sie, oft mit Krawatte und Hut, glattrasiert für balkanische Verhältnisse, etwas von pensionierten Arbeitern, noch konnten derartige Mengen doch ehemalige Beamte oder Freiberufler sein; zwar strahlten sie allesamt ein Standesbewußtsein aus, aber eines, das auch bei dem und jenem etwaigen Arzt, Rechtsanwalt oder ehemaligen Kaufherrn unter ihnen, ein sichtlich anderes war als zum Beispiel das mir von Deutschland und insbesondere Österreich bekannte gutbürgerliche. Und zudem wirkten diese alten, dabei nie greisen Männer weder europäisch noch freilich auch orientalisch; am ehesten zu vergleichen mit Spaziergängern auf einer diesigen Promenade im Baskenland, wenn auch ohne die entsprechenden Mützen. Kräftig auftretend waren sie da zwischen den Festungstrümmern unterwegs, deutliche Gestalten im Nebel, die Mienen fast grimmig, was mir mit der Zeit jedoch als eine Art von Präsenz entgegenkam, oder als Gefaßtheit. Und sie waren auch keine Hagestolze – hatten sämtlich etwas von vieljährig und sogar ziemlich glücklich verheiratet Gewesenen und jetzt Verwitweten, und das seit noch gar nicht so langem: von Witwern und, seltsam bei so Bejahrten, zugleich Verwaisten. Nein, das konnten in meinen Augen keine serbischen Patrioten oder Chauvinisten sein, keine ultraorthodoxen Kirchengänger, keine Königstreuen oder Alt-Tschetniks, schon gar keine einstigen Nazi-Kollaborateure, aber es war auch schwer, sie sich als Partisanen zusammen mit Tito, dann jugoslawische Funktionäre, Politiker und Industrielle vorzustellen; klar nur, daß sie alle etwa den gleichen Verlust erlitten hatten, und daß der ihnen, wie sie da flanierten, noch ziemlich frisch vor den finsteren Augen stand. Was war der Verlust? Verlust? War es nicht eher, als seien sie brutal um etwas betrogen worden?

Unter den paar Fragen, die ich auf der serbischen Reise tatsächlich auch aussprach, war die häufigste – so häufig, daß es die mit mir schon nervte – jene, ob man glaube, das große Jugoslawien könne je neu erstehen. Fast keiner der Befragten glaubte das, »auch nicht in hundert Jahren«. Höchstens kam einmal: »Wir werden das jedenfalls nicht mehr erleben.« Milorad Pavić, der Schriftsteller, meinte, falls die ehemaligen Teilrepubliken sich vielleicht wieder einmal annäherten, dann allein über die Wirtschaft, und er erzählte, wie beliebt früher in Serbien zum Beispiel Produkte aus Slowenien gewesen seien. Welche? »Kosmetika. Slowenische Hautcremes, oh!« Einzig der bald achtzigjährige Vater Zlatkos sagte dann, in seinem Dorf Porodin in der Morawa-Ebene: »Nicht mit Kroatien vielleicht, aber mit Slowenien gewiß, ja, und das schon bald. Wir Serben haben immer die großen Sachen produziert, und die Slowenen die kleinen, feinen Teile dazu, und das hat sich immer gut ergänzt. Und nirgends bin ich im Leben so gut bewirtet worden wie in Slowenien!« (Und das war auch das einzige Mal, daß seine Frau zu einer seiner Bemerkungen nickte, heftig.)

Ein paar Tage kamen nach dem Nebel, die noch sonnig und wieder warm waren. Einmal, noch vor dem Dazustoßen Zlatkos (= der Goldige), fuhren wir mit Žarko (= der Feurige) in dessen Belgrader Vorstadt Zemun hinaus, seine Jugendgegend und jetzt wohl seine Phantasieheimat – stadtauswärts über die Save-Brücke, welche bei den Hauptstädtern »Gazelle« heißt. Schwer, etwas nachzuempfinden zunächst, als er uns die beiden ehemaligen Familienwohnfenster (Vater kleiner örtlicher Politiker, früh gestorben) zeigte, oben im gar nicht hohen, verputzbedürftigen Mietshaus, die Allerweltspappel um die Straßenecke, und seinen Schulweg, der, dachte oder sagte ich, doch viel zu kurz war, als daß darauf etwas Nennenswertes sich hätte ereignen können – darauf seine Antwort: »Aber auf dem Heimweg die Umwege!« Schon der Zemuner Obst- und Gemüsemarkt, in zwei großen, säuberlich getrennten Bereichen, gar weiträumig für eine Vorstadt, ließ freilich etwas Besonderes ahnen, mit einer Luft wie schon von dem Strom (ich kaufte ein paar Äpfel, weil ich nicht als ein bloß Neugieriger durch einen fremdländischen Markt streifen wollte).

Und dann kamen wir, ausnahmsweise einmal gut geführt von dem Freund, der uns zuletzt den Vortritt ließ, unversehens zwischen kleinen, langgestreckten, wie biedermeierlichen Häusern hinaus an die Donau, hier von einer so gewaltigen Breite, daß, im Vergleich zu dem mir aus Österreich doch vertrauten gleichnamigen Fluß, dort hinten auf dem Wasser, dabei noch fern von dem anderen Ufer, sich eine zusätzliche Zone erstreckte, was diese »Dunav« erst wirklich zum »Strom« machte (ein Wort aus der österreichischen Bundeshymne, das mir, gemessen am Augenschein, jedesmal übertrieben vorgekommen war). Eine Art Binnenwasserwelt, eine Flußwelt tat sich vor uns auf an dieser Belgrader oder Zemuner Donau, nicht nur an der Promenade mit den Restaurants, wo man zu Fuß zurück in die Hauptstadt gehen konnte, sondern auch an den Hunderten tief in den Hintergrund gestaffelten Booten, verankert und kaum erst winterverhüllt, und einbaumhaften Nachen. Hin und wieder spurte so ein Ding los – das kleine Motorenschnurren, mit den vereinzelten Menschenstimmen, das einzige Geräusch weit und breit –, in der Schräge hinüber zum wie transkontinentalen Gegenufer, wo am Waldrand dort Pfahlhütten standen. Aber die meisten der Wassergefährte schaukelten bloß so in der Strömung oder wippten, an Ort und Stelle; stellenweise ein Kochfeuerrauch; und im übrigen blieb die Strommitte diesen ganzen Nachmittag unbeschifft; das Embargo. Diese Flußwelt war vielleicht eine versunkene, versinkende, eine modrige, alte, aber sie stellte zugleich eine Weltlandschaft dar, wie sie auf den niederländischen Gemälden aus dem 17. Jahrhundert mir so nie vorgekommen ist:

eine Urwelt, welche als eine noch unbekannte Zivilisation erschien, zudem eine recht appetitliche. Und wir aßen dann Karpfen in einem Flußwirtshaus gleichen Namens, »Šaran«. Und in der Dämmerung gingen wir zu der Zemuner Burg hinauf, zwischendurch von einer älteren Frau auf englisch, ohne Akzent, nach dem Weg dorthin gefragt, welche sich dann entschuldigte, daß sie zwar Serbin sei, aber die Sprache nicht könne. Auf dem Friedhof dort oben waren in die Gedenksteine, getreu wohl nach Photos, nur vielfach vergrößert, die Gesichtszüge der Verstorbenen eingraviert, sehr oft Ehepaare und diese in der Regel, so alt sie zusammen auch geworden waren, als sehr junges Brautpaar dargestellt – vielleicht, weil das ihr einziges gemeinsames Photo geblieben war?

Zurück in Belgrad (= Weiße Stadt), bei Fastvollmond, trafen wir endlich auf Zlatko, der wegen Zuschnellfahrens eine Nacht in Ungarn hatte verbringen müssen (sein Auto war schon in einem hotelnahen Parkhaus in Sicherheit gebracht), und zu viert hörten wir bis lang nach Mitternacht in einem Lokal namens

»Ima dana« (= »Es gibt Tage . . .«, Titel eines serbischen Lieds) Musik aus den verschiedenen jugoslawischen Gegenden an, während zur selben Zeit in Tel Aviv Ytzak Rabin ermordet wurde – am folgenden Morgen sein verwischter Schemen auf der weder Hochglanz noch Tiefdruck aufweisenden Titelseite der Oppositionszeitung *Naša Borba*. Beim spätnächtlichen Heimweg war der Nebel zurückgekommen, so dicht, daß die Leiber der Passanten davon wie gestutzt und geschmälert erschienen. Und es waren unversehens gewaltige Massen von Passanten auf allen Belgrader Straßen, aus den grauen und weißlichen, wie von unten, von den zwei Flüssen stadtaufblaffenden Schwaden hervorlaufend, rennend und mancherorts dann wieder reglos zusammengedrängt; die Passagiere für die letzten Straßenbahnen. Und vom Hotelfenster aus dann in der nun vollständigen Einnebelung draußen nicht ein Ding mehr zu erfassen, bis auf ein einzelnes, helles, hin- und herzuckendes Papierstück tief unten auf dem Boulevard, zu dem für Momente der Umriß eines Besens trat und die Hand des nachmitternächtlichen

Belgrader Straßenkehrers. Und im offiziellen serbischen Fernsehen noch jene Abschieds- szene des Präsidenten Milošević, unmittelbar vor dem Abflug zu den Friedensgesprächen nach Dayton, Ohio: eine lange Reihe von Mi- litärs und auch Zivilleuten auf dem Startfeld abgehend und einen jeden ziemlich ausdau- ernd und fest umarmend, dabei aber stets nur von hinten sichtbar – der Aufbrechende mi- nutenlang als bloßes Rückenbild.

Zlatko hatte zu der »Ima dana«-Musik von einer sagenhaften Stelle der Donau, bei der Stadt Smederevo, erzählt, wo – er hatte das nicht selber erlebt, wußte es eben nur vom Hörensagen, von einem Lehrer seinerzeit in der Dorfschule – der große Fluß ganz still, ja vollkommen ohne einen Laut, dahinströmen sollte. Tags darauf machten wir uns mit seinem (weder gestohlenen noch angekratzten) Auto dahin auf den Weg und kamen dabei erstmals tiefer hinein in das serbische Land. Dieses zeigte sich hier, gegen Südosten, wie es, laut Zlatko, für Serbien typisch sei: weite Horizon- te bei einer leichten, gleichmäßigen Hügeligkeit (der Berg Avala, eine Autostunde weg von Belgrad, für einen »Hausberg« viel, stieg da schon auf wie ein Ereignis, obwohl er gar nicht hoch war – so als habe jede noch so unscheinbare Landschaft ihr Massiv der Sainte-Victoire). Dichtverzahnte Dörfer aus jeweils mehrteiligen Gehöften, sozusagen Kleindörfern innerhalb des Großdorfs. Und auch die Friedhöfe, draußen zwischen den Feldern, mit einem Anschein von Dörfern, nicht »Totenstädte«, sondern Toten*dörfer*, allerdings belebte, insbesondere jetzt um die Allerseelenzeit, in Serbien ein paar Tage »nach uns« gefeiert, wo den Verstorbenen Nahrung gebracht wurde und man an ihren Gräbern mit ihnen speiste und trank. Und fruchtbare, schon im Augenschein fett wirkende Ackererde bis zu den hintersten Landwellen, wo alles wuchs, was zum täglichen Leben gebraucht wurde; Mais, Sonnenblumen und Getreide freilich schon längst abgeerntet; nur hier und da noch dunkelglänzende Weintraubenbüschel hangauf. Und natürlich wieder die Benzin- und Dieselverkäufer mit ihren Kanistern oder auch bloß Flaschen und Fläsch-

chen überall – Rumänien war liefernah –, und
der wie unendliche, dabei schüttere Zug der
kreuz und quer durch das ganze Land zu Fuß
sich Bewegenden, nicht bloß die Flüchtlinge
aus Bosnien und der Krajina, sondern vor allem die Einheimischen, wie vor noch gar nicht
so langem auch »bei uns« in Mitteleuropa die
Dorfleute auf dem Weg ins ferne Kranken-
haus oder zum Wochenmarkt, und das über
die Nebenstraßen hinaus sogar auf dem Teil
Autobahn, der kaum befahrenen (hohe Maut,
insbesondere für Ausländer).

In Smederevo zu Fuß hin zur Donau, dort
hinter dem mittelalterlichen Flußfort, von den
deutschen Okkupanten im Zweiten Weltkrieg
halb in die Luft gesprengt: Und wahrhaftig
kam von dem gesamten, lichten und weiten
und dabei doch sichtlich zügig dahinfließen-
den Gewässer kein Geräusch, die ganze Stunde dort am Ufer nicht das leiseste Plätschern,
Gurgeln, Gluckern, kein Laut und kein
Mucks. Zurück in der Stadt dann auf der Straße einen alten Passanten nach dem Weg gefragt: er wußte ihn nicht, war ein Flüchtling
aus Knin.

Das war der Tag, an dem es erstmals in Serbien noch vor der Dämmerung ziemlich kalt wurde, mit einem Anhauch von Schnee. Doch kam mit dem nächsten Tag noch ein letztes Mal die Spätherbstwärme, Sonne ohne Wind. Bevor wir von dem weithin wie von den Friedensverhandlungen bestimmten Belgrad aufbrachen zu Zlatkos Dorfeltern, die uns angeblich schon seit Tagen ein Fest vorbereiteten, machten wir noch einen Umweg über den Hauptstadtmarkt, dort auf der vom Zentrum sanft sich zur Save hinabneigenden Terrassenböschung.

In nicht wenigen Berichten hat man sich, mehr oder weniger milde, lustig gemacht über die gar lächerlichen Dinge, mit denen das Serbenvolk, wenn es nicht der dortigen Mafia angehört, Geschäfte zu machen versucht, von den verbogensten Nägeln bis zu den dünnsten Plastiksäcken und, sagen wir, leeren Streichholzschachteln. Nur gab es da auch, so zeigte sich jetzt, viel Schönes, Erfreuliches und – warum nicht? – Liebliches zu kaufen. Schwer zu sagen für einen, der nicht raucht, ob zum

Beispiel die von Markttisch zu Markttischchen wechselnden Haufen von dünngeschnittenem Tabak, luftig und grasig, in den selbstzudrehenden Zigaretten dann so herzhaft schmecken, wie sie ausschauen. Von den nur auf den ersten Blick einförmigen oder eintönigen jugoslawischen Broten dort auf dem Markt, den walddunklen massigen Honigtöpfen, den truthahngroßen Suppenhühnern, den andersgelben Nudelnestern oder -kronen, den oft raubtierspitzmäuligen, oft märchendicken Flußfischen weiß ich den Geschmack. Was aber von solchem Marktleben, dabei spürbar bestimmt von einer Mangelzeit, am eindrücklichsten haften blieb, das war, und nicht bloß bei den Leckersachen, sondern ebenso bei dem vielen vielleicht wirklich fast unnützen Zeug (wer weiß?), eine Lebendigkeit, etwas Heiteres, Leichtes, wie Beschwingtes an dem anderswo gar zu häufig pompös und gravitätisch gewordenen, auch mißtrauischen, halb verächtlichen Vorgang von Kaufen und Verkaufen – ein allgemeiner anmutiger Fingertanz kreuz und quer über das Marktgelände, ein Tanz des Handumdrehens.

Von dem Wust, Muff und der Zwanghaftigkeit der bloßen Geschäftemachereien hob sich da, klein-klein, dabei in Myriadenvielfalt, etwas wie eine ursprüngliche und, ja, volkstümliche Handelslust ab, an welcher wir Mittäter dann auch unseren Spaß hatten. Zug-um-Zug-Geschäfte: so ein Wort bekam hier in dem auf sich allein gestellten Land wieder seinen Sinn, ebenso wie etwa das Wort »Kurzwaren«. Lob dem Handel – hättest du derartiges je von dir erwartet (und das nicht einmal auf Bestellung)? – Und ich erwischte mich dann sogar bei dem Wunsch, die Abgeschnittenheit des Landes – nein, nicht der Krieg – möge andauern; möge andauern die Unzugänglichkeit der westlichen oder sonstwelchen Waren- und Monopolwelt.

Auf der Fahrt zum Dorf Porodin überquerten wir endlich den viel-, wohl gar zu vielbesungenen, sicher auch durch die Türken- und Balkankriege in eine Symbolrolle gedrängten und in ein Symbolbett gezwängten, jetzt freilich einfach bloß herbstgemäß wasserarmen, steinköpfigen Fluß Morawa; neben der Autobrücke der einstige Karren- und Gehsteig, halb eingebrochen. Porodin dann streckte sich als ein Straßendorf, vielleicht eins der längsten in Europa, mit mehreren kleinen Zentren eine Art Dorfstaat, wie es sie übrigens in dem Landkreis, in weitem Abstand voneinander, hier und dort tatsächlich geben sollte. An einem der Zentren, bei einem Mischwarengeschäft, blieben wir noch kurz stehen. Davor tranken jetzt, zu Mittag, ein paar Dorfleute Bier; in den Einschränkungsjahren waren die Cafés für die meisten der Bevölkerung zu teuer geworden, und so hatte sich der Laden in einen Ausschank verwandelt. An dem Haus gegenüber war ein schwarzes Tuch ausgespannt, das kleine Kind von dort war vor kurzem von einem Auto, in dem Straßendorf üblich schnell unterwegs, totgefahren worden. Als dann ein junger Mann, im bäuerlichen Arbeitsgewand, mit entzündeten Augen und wie geschwollenen Lippen, in den Ladenraum trat, wußte jeder von uns sofort, daß er des Kindes Vater sein mußte.

Das Haus, der Hof, das Anwesen von Zlatkos Eltern — in Wirklichkeit längst auf ihren Einzigen, den Serben im Ausland, überschrieben

– lag am hintersten Ende von Porodin, statt hinter sieben Bergen wie hinter sieben langen Kurven, flankiert zuerst von dem teilweise noch blühenden Blumenhain der Mutter und danach gleich, übergangslos, von dem mächtigen Schlammbereich vor den Schuppen und Stallungen; die Felder und Weinberge dazu in Streulage, in der Regel weit auseinander. Die Wohnräume fanden sich dann in verschiedenen, schwer zu durchschauenden Bautrakten, überall Neues dem Alten an- oder drüberoder gar eingebaut, weniges davon freilich fertiggestellt, wie man es eben bei solch ruckweise zu Geld kommenden und heimkehrenden Auslandsarbeitern gewohnt sein mag: einer dieser Zusatzbauten präsentierte sich, mit einem Schock von blitzneuen Stühlen von einer sozusagen Salzburgischen Eleganz, um einen ebenso blanken langovalen Tisch, als ein im übrigen leerer, ganz und gar undörflicher Konferenzsaal, und in der Etage um drei Ecken erwartete den Gast ein barockblaugekacheltes Badezimmer, in das sich sichtlich weder Vater noch Mutter je hineingetraut hatten; und am erstaunlichsten vielleicht, in die-

sem neu-alt-verschachtelten, für wen nur ge-
dachten?, Wohnbezirk zwar hier und da auf
eine schmale Küchencouch zu stoßen, nirgends aber auf etwas wie ein Elternschlafzim-
mer oder ein Doppelbett: »Wo schlafen deine
Eltern, Zlatko?« – »Wo jeder gerade ist, einmal hier, einmal dort, der Vater manchmal
unten im Souterrain, die Mutter meistens
oben beim Fernseher.«

Zu essen gab es unter anderm die Hühner-
suppe, ein Spanferkel und den »serbischen«
Krautsalat, dazu einen so erztrüben wie klar-
schmeckenden Eigenbauwein von den Hängen jenseits der Straße, wo das letzte in
der Dämmerung dann noch Sichtbare die
himmelaufweidenden Schafe waren. Zwischendurch im Gespräch des heimgekehrten
Sohns mit Vater und Mutter verstand ich trotz
angestrengten Zuhörens rein gar nichts mehr
– war das überhaupt noch Serbisch? Nein, die
Familie war unwillkürlich übergegangen in das
Rumänische, die Unterhaltungs- oder Vertrau-
lichkeitssprache der meisten Dorfbewohner;
als eine solche Sprachinsel war Porodin auch
bekannt. Aber ob sie dann überhaupt sich als

Serben fühlten? Natürlich – was denn sonst? Zurück nach Belgrad fuhren wir mit einer Obststeige, wo die Trauben überhingen und bei der Einfahrt in die Stadt, jede einzeln, einen Blitzpunkt bekamen.

Zu dem einzigen ein wenig offiziellen Tag in Serbien kam es dann auf der Fahrt in das südliche Bergland, zu dem mittelalterlichen Kirchen- und Klosterkomplex von Studenica, einem Nationalheiligtum; eine Reise innerhalb, oder außerhalb? der Reise. Wir fuhren in der Gesellschaft des berühmten Schriftstellers Milorad Pavić, eines fein-würdigen älteren Herrn, der zwar, erzählte er, seit je schon geschrieben habe, aber bis zu seinen ersten Erfolgen, als über Fünfzigjähriger, eher nur bekannt war als Literaturprofessor, Spezialist für serbisches Barock, mit Lehrsemestern an der Sorbonne und, ich glaube, Princeton.
Und zugleich war das der Tag des ersten Schnees, gleich schon am Morgen beim Aufbruch in Belgrad, ein Novemberschnee, mit dem auch zahlreiche Baumblätter zu Boden stürzten, unterlaufen von Windstößen, wel-

che die nicht sehr stabilen jugoslawischen Schirme umdrehten. In dem zunehmenden Schneetreiben wurde dann an einer Autobahnrast gehalten, auf Betreiben des Nationalschriftstellers, zum Trinken von ..., freilich unter Zusatz von heißem Wasser, kredenzt von einem vereinsamten Rastplatzwirt, der, wie fast die gesamte Bevölkerung auf dem fünfstündigen Weiterweg, den »Gospodin Pavić« kannte (wohl nicht nur vom Fernsehen, die Serben sollen ein Leservolk sein).

Kragujevac, Kraljevo – ziemlich große mittelserbische Städte, nach denen es südwestwärts in ein anderes Serbien ging, gebirgig, schluchtenreich, fast menschenleer, und hier und da eine Kastellruine rund um einen Kahlberg, ähnlich einem verlassenen Castillo in der spanischen Meseta. Und allmählich erriet ich dann bei jeder auch nur ums Kennen auffälligen Örtlichkeit oder Landschaftsform schon im voraus, daß mein Nachbar hinten im Auto dazu bereits etwas verfaßt hatte, und riet fast immer richtig, sogar, ob zu dieser Dorfkirche Prosa oder zu jenem Gebirgsfluß ein Gedicht.

Bergauf zu dem Kloster, an dem Einödbach Studenica entlang (was etwa Eiskaltwasser bedeutet), wurde es tiefer, bitterkalter Winter, so wie er uns dann für fast alle die übrigen Tage erwartete. Über die alte byzantinische Kirchensiedlung, auf einer Hochtalsohle nah an tausend Metern über dem in Serbien so spürbar fernen Meer, stoben die Flocken wie seit Ewigkeiten. Auf den Fresken erkannte ich den rundlichen Abendmahlstisch aus den oströmischen Kirchen von Ohrid, von Skopje, von Thessaloniki wieder, Jesus und die Apostel darum versammelt wie um die ptolemäische Erdscheibe, und ein Johannes der Täufer hatte etwas von Che Guevara, die leicht umhaarte Brustwarze wie ein winziges Einschußloch. Und im Klostergastraum jenseits des frostigen Hofs, bei einem Kaminfeuer, das eher wie in einem weißen Backofen brannte, ließ uns der natürlich orthodox-bärtige Abt nach dem löffelweise dargebotenen Gastfreundschaftskonfekt den heißen, wasserverdünnten Pflaumenschnaps (schon wieder!) servieren und sprach dem Rohlingsgesöff sogar selber zu. Und Schneeschwaden um Schneeschwaden dann an die Fenster des Hote[...] [...]terhalb des Klosters streifen[...] dahinter gleich schon e[...] Frühwinterfinsternis, de[...] Eßraum ein wenig durchfäche[...] schuhschachtelgroßen Heizstrahler. [...]heit, Ausgesetztheit, Abgeschobenheit. Und zugleich hatte ich Lust, so eine stockfinstere Nacht an diesem wie weltfernsten Ort zu verbringen, und war dann beinah enttäuscht, daß das Schneien nicht unsere Rückfahrt verhinderte.

Als ich S. viel später zu jenem – bei dem allen doch ständig leicht offiziösen – Tag nach einer möglichst unscheinbaren und nebensächlichen Einzelheit fragte, kam sie mit dem Moment der Crêpes, oder Palačinke, dort im kalten Wirtshaus: als die kalt und daumendick aufgetischt wurden und Monsieur Pavić dazu meinte, es sei hoffnungslos, nie würden die Serben es lernen, Crêpes zu machen. Ja, und dann fiel auch mir ein, wie der Dichter, ganz entgegen der Regel in seinem Buch, Wasser in den Wein goß (statt umgekehrt) und wie er dazu erklärte, das sei doch Mineralwasser, und ches gelte für ihn nicht als Wasser. Und, inmal während der langen Fahrt hatte er en serbischen Exilkönig erwähnt, welcher inzwischen (seit dem Zerfall Jugoslawiens) schon weit besser seine Vorfahrensprache beherrsche, und er, Mitglied des Kronrats, werde vom König immer öfter nach London eingeladen, oder sie träfen sich auch in Griechenland – und da war ich es, der erzählte, von meinem slowenischen Großvater in Kärnten, wie der bei der Volksabstimmung von 1920 für den Anschluß an das neugegründete Jugoslawien gestimmt habe, und wie ich das immer als seine Entscheidung für das Slawische betrachtet hätte, gegen das 1918 kleindeutsch geschrumpfte Österreich – und wie ich mich inzwischen aber fragte, ob sein Entschluß nicht vielleicht eher, nach dem Ende des Habsburg-Imperiums, mit der Ausrufung der Republik, aus einer Sehnsucht oder dem Bedürfnis wenn schon nicht nach einem Kaiser, so doch zumindest nach einem König gekommen sei, wie ihn die junge südslawische Nation an ihrer Spitze hatte!?

An jenem selben etwas offiziellen Tag war

ich in Belgrad für den Abend noch mit dem zweiundvierzigjährigen Schriftsteller Dragan Velikić verabredet (zwei Schriftsteller an einem Tag), welchen ich einmal, in den Jahren vor den Kriegen, in Lipica im slowenischen Karst getroffen hatte. Ich kenne von ihm zwei seiner kurzen Romane, einmal »Via Pula«, wo von der Jugend eines Serben im kroatischen Pula erzählt wird, ziemlich frei, mit wiederholten Übergängen oder Ausblicken in mögliche Zweit- oder Drittleben, und dann den »Zeichner des Meridian«, gelesen erst nach meiner Rückkehr (erschienen beide im Wieser Verlag). Das letztere ist eine sehr verspiegelte und auch gebrochene, scherbenhafte Geschichte über das zerschellte Jugoslawien – Erzählung und Erzähltes wirken ineinander und ergeben zuletzt neben .»Buch« und »Land« ein Drittes. Velikić schreibt verquer; ein Querdichter, geboren aus dem Zusammenstoß von geographisch-geschichtlichem und dem entsprechenden Splitter-Ich, das zugleich doch nicht weniger »Ich!« ist; dieses bleibt die Substanz des Buchs oder der Untersatz, welcher die Splitterdinge und -passagen

zusammenhält. Und natürlich müssen da Bei-
spiele her. *Das Leben als Grab. Anders kann es
vielleicht nicht sein in einem Land, wo am Drehpunkt
der Winde über Jahrhunderte schon der listige Eunuch
mit der Seidenschnur, der schlangenäugige Kuttenträ-
ger und der bärtige Schismatiker einander gegenüber-
stehen. Nur durch Täuschung lassen sie sich zusam-
menschmieden.* Oder: *In den europäischen Städten
vegetierten (1995) Enklaven der Belgrader Jugend, ge-
flohen zu Beginn der Neunziger, während des Krieges
in Kroatien und Bosnien. Es war ihr Schicksal, daß
man sie vergaß. Denn die kämpfenden Parteien, die
Kriegshunde, sind von demselben Stamm, wie immer
sie heißen und mit wie vielen Fingern sie sich bekreuzigen mögen. Wenn sie sich denn bekreuzigen.* Und:
*Gleich einem eingeschlafenen Skorpion, der seine Jah-
re in einer grünen Mauer verbringt, träumt er (der
Held) das nicht verwirklichte Leben. Es ist unmöglich, die Ader ruhigzustellen, die erbebt.*
An jenem Spätabend in Belgrad erschien mir
Dragan Velikić, den ich kräftig und feurig, dabei aufmerksam und voll Zutrauen in Erinnerung hatte, zunächst eher bedrückt und ent-
mutigt, beinahe flügellahm. Schon der Ort
unseres Treffens war vielleicht nicht der rich-

tige: die vermeintlich private Adresse stellte sich als ein kleines Verlagshaus heraus, wo mit Velikić schon ein paar andere Leute aus dem Milieu warteten, sicher gegen ihren Willen mit dem Anstrich von Konspirateuren. Und da es bei der späten Stunde auch keinen Ausweg in eines der nachbarlichen Lokale mehr gab, setzte sich nun das Offizielle, wie Vor-Protokollierte dieses Tages auf seltsame Weise bis in die tiefe Nacht hinein fort. Es lag in der Luft, daß nun über die Verhältnisse, über den bosnischen Krieg, über die bosnisch-serbische, über die serbisch-serbische Rolle darin eine Art Rundgespräch stattfinden sollte. Wir saßen lange fast stumm, gereizt, ratlos, bei einer Riesenflasche Frascati, eines noch dazu uralten, wo doch der junge inländische Weißwein so viel besser mundete; Dragan hatte zwar eine Flasche des berühmten Rieslings von Palić dabei, aber gerade bei all der Rundum-Sprachlosigkeit hielt der nicht lange und war überdies auch eher bejahrt: seltsam, auf dem Etikett das Erntejahr 1990 zu sehen, nach dem kleinen slowenischen Krieg und vor den großen anderen.

Der schlimmste oder peinlichste Augenblick kam, als dann jemand ein Andenken aus dem Krieg in Bosnien herumgehen ließ, wie es hieß, die Steuerungskapsel einer der im jüngstvergangenen Herbst gegen die Serbenrepublik dort abgefeuerten »Tomahawk«-Raketen. Es war das ein etwa rugbyballgroßes, dabei gewaltigschweres Stahlding, zwischen Halbkugel, Rundkegel und Miniaturpyramide, welches sich angeblich kurz vor dem Erreichen des Ziels von dem Geschoß abklinkte, und beschafft habe man sich das Souvenir (in der Tat mit einer sichtlich echten Herkunftsplakette der US-Air Force) in der bosnischen Serbenzentrale Banja Luka. Jedoch statt mich dadurch nah am Geschehen zu sehen, fühlte ich auf einmal uns alle zusammen im Nirgendwo, und daß nun auch nichts mehr zu sagen wäre; und ich glaube, nicht allein mir ging es so. Zum Glück fiel mir dann ein, Velikić nach seinem Pula und nach Istrien zu fragen, und er erzählte, ebenso erleichtert wie auch die andern, sein dort gemietetes Haus sei von kroatischem Militär besetzt, ein Offizier wohne darin, während er, hier von Belgrad aus, weiterhin die Miete bezahle – kräftiges kurzes Lachen –, warum auch nicht? Und weiter belebte es sich, in einem bald allgemeinen Wechselreden über große und kleine Orte, zum Beispiel über Wien, wo sein kleiner Sohn bei einem Aufenthalt im letzten Sommer sämtliche Umsteigemöglichkeiten sämtlicher U-Bahn-Stationen auswendig gewußt hatte, oder über Feldafing in Bayern.

Und dann wurde es nach und nach doch selbstverständlich, zum jetzigen Jugoslawien überzugehen. Vor allem einer im Raum war es, aus dem es schließlich leibhaftig herausschrie, wie schuldig die serbischen Mächtigen an dem heutigen Elend ihres Volkes seien, von der Unterdrückung der Albaner im Kosovo bis zu der leichtfertigen Zulassung der Krajina-Republik. Es war ein Aufschrei, und keine Meinungsäußerung, keine bloße oppositionelle Stimme aus einem Kulturzirkel in einem Hinterzimmer. Und dieser Serbe sprach auch einzig über seine eigenen Oberen; die anderwärtigen Kriegshunde blieben ausgespart, so als schriee es von ihren Taten von alleine zum Himmel, oder sonstwohin.

Doch seltsam: obwohl ich vor diesem Menschen endlich nichts Offizielles oder Vorgeplantes mehr an der Situation spürte – statt Statements abzugeben, litt er, zornig und klar –, wollte ich seine Verdammung der Oberherren nicht hören; nicht hier, in diesen Räumlichkeiten, und auch nicht in der Stadt und dem Land; und nicht jetzt, wo es vielleicht doch um einen Frieden ging, nach einem Krieg, der mit ausgelöst und zuletzt wohl entschieden worden war auch noch durch fremde, ganz andere Mächte. (Daß er mich dann beim Abschied umarmte, war, dachte ich da, weil er sich verstanden fühlte, und frage mich jetzt, ob es nicht eher aus dem Gegenteil kam.)

3

Der Reise zweiter Teil

Danach begann der letzte Teil unserer Reise, und diese wurde zeitweise, nein durchwegs, abenteuerlich.

Wir brachen, bei immer noch novemberlichem, mit Blättern vermischtem Schneefall, von Belgrad, dieses und das Hotel »Moskwa« endgültig hinter uns lassend, auf zur Grenze nach Bosnien. S. war am Morgen zurück nach Frankreich gefahren, weil die Kinder nach den Allerheiligen-Ferien dort wieder in die Schule sollten, und nun suchten wir, Zlatko, Žarko und ich, im Auto des ersteren den Weg nach Bajina Bašta an der Drina, wo des zweiteren frühere Frau mit beider Tochter lebte. Suchten — denn obwohl der Vater die Strecke im Lauf der achtzehn Lebensjahre seines Kindes immer wieder gefahren war, kam ihm jetzt keine der Straßen bekannt vor, denn er hatte immer den Autobus genommen (und Spezialkarten von

Serbien waren im Moment nicht aufzutreiben).

Zuvor aber, vor dem Verlassen der Hauptstadt, wurde es Zeit zum ersten Tanken in diesem, laut Volksmund, »Land mit den meisten Tankstellen auf der Welt« – in Gestalt der Kanister- und Flaschenanbieter dichtauf am Rand der Ausfallstraßen. Und auch bei all den Treibstoffkäufen danach hat sich mein erster Eindruck dort erhalten, daß die grünrotgrüne dicke Flüssigkeit, wie sie da in einem langsamen und gut sichtbaren breiten Strahl von überaus behutsamen Händen jeweils in den Tank gegossen wurde, sich wie noch nie als das sehen ließ, was sie in der Tat ja auch war: etwas ziemlich Seltenes, eine Kostbarkeit, ein *Bodenschatz* – und wieder hatte ich gar nichts einzuwenden gegen meine Wunschvorstellung, solch eine Art Tanken möge lang noch so weitergehandhabt werden, und vielleicht sogar übergehen auf anderer Herren Länder. (Danach wurden wir freilich, als sei da etwas gerochen worden, von einer Polizeistreife überprüft, und weil »Zlatko Bo.« – laut serbischem Führerschein – das Auto eines anderen, »Adrian Br.« – laut österreichischem Zulassungsschein –, fuhr, war eine nicht allzugroße Strafe zu bezahlen; hätte sich herausgestellt, daß die beiden Namen für ein und dieselbe Person galten, wäre das Ganze wohl weniger glimpflich ausgegangen.)

Unsere Reise an die Drina führte etwa südwestwärts, durch eine weitgestreckte Felderebene, lange ganz ohne Hügeligkeit, laut Žarko, dessen Heimrichtung das nun war (und nicht mehr wie in den ersten Tagen Zlatkos, des Ostserben), »endlich das typische Serbien«. Es schneite auf dem freien Land dort bald dichter, und etwa nach dem dritten Verirren – die paar sonntagnachmittäglichen Menschen an den Landstraßen erwiesen sich, um Auskunft gefragt, wie es sich gehört, als sprachlos betrunken – dämmerte es schon wieder, in einem ungewissen namenlosen Zwischenbezirk lang vor dem laut unserem sonst immer stummeren Wegweiser »großen wilden Gebirge«, das wir zu überwinden hätten vor unserem Ziel. Ohnedies gefaßt, nicht mehr dort anzukommen, kehrten wir ein in ein einsames Landstraßenlokal, wo an der

Stelle des einstigen Titobilds das eines serbischen Heldengenerals aus dem Ersten Weltkrieg hing; auf dem Tisch eine gestrige Zeitung, die *Večerni Novosti*, deren Titelseite eine gute Woche später riesig das Wort МИР, MIR, FRIEDE, einnehmen sollte (worauf ich dachte, in welcher deutschen Zeitung das 1945 so monumental gestanden haben könnte?).

Wie es in Verirrgeschichten regelmäßig heißt: »Irgendwie« erreichten wir die Stadt Valjevo, den Ausgangspunkt der Straße übers Gebirge. Dieses hatte den Namen »Debelo Brdo«, Der Dicke Berg, und die Paßhöhe für Bajina Bašta – was mir unser Führer im zunehmenden, längst nächtlichen Schneetreiben als »Garten des Baja« (= Serbenheld gegen die Türken) übersetzte – sollte hoch über tausend Metern liegen. Die Straße bergauf wurde zusehends weiß, ein Verrutschen der Räder beim geringsten Bremsversuch, und die Lüfte ebenso zusehends schwarz, sehr bald keine Lichter mehr, weder von einem Haus noch von einem anderen Auto, und tags darauf war zu erfahren, daß der Abendbus von Belgrad in Valjevo untergeschlupft war und die Passagiere dort in der Bergfußstadt übernachtet hatten.

Als eine lange Zwischenstrecke unasphaltiert war, mit kratergroßen Schlaglöchern dichtauf, zwischen denen unser Fahrer wie auf einer Rallye durchkurvte, waren wir zugleich doch guter Dinge, denn auf dem nackten Erdreich da war der Schnee kaum liegengeblieben. Unser Lotse bemerkte dann, auf der Wetterkarte am Morgen im Fernsehen seien ab etwa Valjevo keinerlei Schneesterne mehr eingetragen gewesen. Und jetzt schneite es nach jeder der langgezogenen Kurven mehr und mehr, und auf vielleicht halber Höhe kam auch noch der Wind dazu, bald schon ein Gebirgssturm, von welchem die Flocken rasch zu Dünen geweht wurden, hier niedrigen, weiterwandernden, hier stockenden, sich verfestigenden, in die Kreuz und Quer über die schmale Straße. Mit einer europameisterlichen Gleichmäßigkeit steuerte der Kartenspieler und Wirtshausschildermaler da hindurch und hinauf, auch wenn es im Steileren den Gang wechseln hieß; ein Zurück kam nicht mehr in Frage (war

nicht auch das ein Ausdruck aus Abenteuer-
geschichten?).

Hin und wieder machte noch einer, indem er
zugleich starr vor sich hinblickte, eine ablen-
kende Bemerkung, erhielt aber kaum mehr
eine Antwort. Und dann sprach bei der weiteren Überquerung des Dicken Bergs von uns
dreien vielleicht für eine Stunde keiner auch
nur ein Sterbenswort; und auch Ceca sang
nicht mehr, und nicht mehr der serbische
Volkssänger Tozovac. Wenn uns in dem langsam kurvenden Scheinwerferlicht außer den
Schneewächten, Hürde um Hürde, überhaupt
etwas entgegenleuchtete, so waren es die Fels-
wände, die zunehmend entblößten. Und mein
Gedankenspiel war: gesetzt, das Auto bliebe
nun und nun stecken – in welche Richtung
sollte ich mich auf den Weg machen? Und wie
weit käme ich wohl, so ohne Mütze und
rechtes Schuhzeug? Spannend! Und fast
schade, daß es zwischen den Flockenge-
schwadern nicht endlich losblitzte, so ein Bliz-
zard hätte die Schneesturmnacht hoch im
Balkangebirge vollständig gemacht, auch die
Beunruhigung in etwas anderes verwandelt, in

Panik? Oder vielleicht gerade in deren Gegenteil?

»Irgendwie«, fast in Schrittfahrt, fanden wir über den Paß und dann hinunter in Schichten, wo es ruhiger schneite, nach alledem wie in einem Gefilde, und der Schnee sogar stellenweise die Fahrbahn frei ließ – worauf unser Führer in den finsteren Talgrund irgendwo zeigte und aufgeregt den ersten Satz seit sozusagen Menschengedenken sprach: »Dort unten ist die Drina, dort unten muß Bajina Bašta sein, und dort hinten gleich Bosnien.«

Seltsames Klingelgeräusch danach an der Tür eines Appartementhauses an der hellbeleuchteten Hauptstraße einer dem Anschein nach sonntagabendlich stillen jugoslawischen Provinzstadt, die bei aller Unbekanntheit etwas Vertrautes hatte (und ich weiß jetzt, daß ich so ähnlich auch vor weit über dreißig Jahren im tiefen Kroatien vor der Tür einer Jugendfreundin ankam). Dann drei gutbeleuchtete und, Seltenheit in ganz Serbien, sogar warme Räume. Die Willkommenskonfitüren wieder, mit den Wassergläsern, wohinein dann die Eß-

löffel gesteckt wurden; die Hausfrau, einst
Archäologiestudentin in Belgrad, jetzt Sekre-
tärin am stadtnahen Drina-Kraftwerk; die
Wände im Zimmer der Tochter ausschließlich
mit Postern des ewigjungen James Dean; Sar-
ma (eine Art Krautwickel), Kajmak (der Butterrahmkäse), Brot und Wein von Smederevo
(wo die Donau ohne Laut fließt); zwischendurch Blicke aus den überdicht zugezogenen Vorhängen in den balkanischen Hof,
an welchen ähnliche Mehrfachwohnhäuser
grenzten: Schnee, Schnee und Immer-weiter-
Schneien.

Und Olga, die Einheimische, die Frau aus Bajina Bašta, die zugleich fast alle Filme der Welt
kannte, erzählte, die Bevölkerung habe von
dem Krieg in einem Kilometer Entfernung
fast nichts mitbekommen. Immer wieder sollen scharenweise Kadaver die Drina abwärts
getrieben haben, doch sie kannte niemanden,
der das mit eigenen Augen gesehen hatte. Jedenfalls wurde in dem Fluß, vor dem Krieg
sommers voll von Schwimmern, am serbischen und am bosnischen Ufer, hin und her,
her und hin, nicht mehr gebadet, und natür-

lich waren auch die Schiffsausflüge einge-
stellt. Gar sehr fehlten ihr und ihrer Tochter
die gemeinsamen Fahrten quer durch Bosnien nach Split und vor allem Dubrovnik,
an die Adria, und sie selber entbehrte bitter
das Zusammensein mit ihren muslimischen
Freunden, ob aus Višegrad, dem ihr liebsten
bosnischen Ort (Ivo Andrić' »Brücke über die
Drina« spielt dort), oder aus Srebrenica, welches noch um einiges näher lag. Und sie war
überzeugt, es sei wahr, daß dort bei Srebrenica im Sommer dieses Jahres 1995 die Tausende umgebracht worden seien. Im kleinen, viel
kleineren, sei so der ganze bosnische Krieg
gewesen: in der einen Nacht wurde ein mu-
selmanisches Dorf gemordschatzt, in der folgenden ein serbisches, usw. Nun waren hier
in der Grenzstadt die Serben ganz unter sich,
und keiner hatte dem anderen mehr etwas zu
sagen. Die nagelneuen, halbeleganten Geschäfte und Bars an der Hauptstraße gehörten bosnisch-serbischen Kriegsgewinnlern,
und nie würde sie da einen Fuß hineinsetzen.
Sie kam durch den Monat, bei aller Beschei-
denheit, nur durch die DM-Unterstützung

von der Seite ihres ehemaligen Mannes, und die anderen?, waren angewiesen auf solche halbwegs abgebfähigen Nachbarschaften wie die ihre – und trotz des materiellen Mangels war die Not vor allem eine innere; abgeschnitten von der vorigen weiten Welt, immer nur unter ihresgleichen, kam ihr oft vor, sie sei tot. Fanden denn noch Liebschaften statt, wurden noch Kinder gezeugt? »Höchstens unter den Flüchtlingen.« (Und hier lachte die noch junge und jugendliche Frau einmal sogar selber.) Zwar seien ab und zu Journalisten aus dem Westen aufgetaucht – was in diesem Fall auch Bosnien hieß –, aber die hatten alles schon im voraus gewußt, und dementsprechend waren auch ihre Fragen gewesen; keiner hatte sich für das Leben der Leute hier in der Grenzstadt auch nur ein klein wenig offen oder auch bloß neugierig gezeigt; und die UN-Beobachter waren aus ihrem Hotel bald ausgezogen, weil sie sich dort selber beobachtet fühlten.

Dort, in dem Hotel »Drina«, in ungeheizten Zimmern, schliefen dann auch Zlatko, alias Adrian, und ich. Es gab keine rechten Vorhänge, und sooft ich in jener ersten Nacht, bei der grellgelben Beleuchtung von außen, die Augen öffnete, fiel im Fenster weiter und weiter der Schnee, und das auch noch am Morgen und alle die Bajina-Bašta-Tage und -Nächte lang. Die Stadt wurde eingeschneit. Der Rückweg über den Dicken Berg war längst abgeschnitten, es blieb allein die Straße durch das Drinatal nordwärts, so erfuhr Zlatko, dessen Gesicht und Hände angeschwollen vor Frieren, von ein paar jungen Milizsoldaten, welche, ihre Maschinenpistolen in Reichweite, neben uns beim Frühstück saßen; aber ob überhaupt ein Schneepflug fuhr?

Und geradezu fröhlich wurde beschlossen, so lang wie eben nötig zu bleiben. Wir kauften uns Schuhe und Mützen für den Schnee, und angesichts der Zagheit der Verkäufer jeweils bei dem Eintritt von uns wohl sichtlich Landfremden stellte ich mir vor, die »potentiellen Kunden« während all der Kriegsjahre hätten sich dann sämtlich als ausländische Reporter entpuppt, welche, statt je etwas zu kaufen, sich allein, für ihre Recherchen, nach den Preisen erkundigten.

Wetterfeste, wie halbuniformierte Mannsge-
stalten dann allüberall auf den Grenzstraßen,
in den Grenzgaststätten, und unwillkürlich sahen wir, auch Žarko, der nach der Nacht bei
seiner episodischen Familie, wieder dazuge-
stoßen war, in ihnen natürlich(?) paramilitäri-
sche Killer, siehe die entsprechenden Augen,
»tötungserfahren«; wurden dann von dem
mit uns gekommenen örtlichen Bibliothekar,
einem Leser (zum Beispiel von Nathalie Sar-
raute und Fernando Pessoa), aufgeklärt, es
seien das die Forstarbeiter und Waldhüter
vom Dicken Berg, dieser sei so etwas wie ein
Nationalpark, jedenfalls eine Art Erholungs-
gebiet, mit einer auf der Welt einzigartigen
Fichte, einem Überlebenden aus der letzten
Zwischeneiszeit; und argwöhnten in diesen
Leuten dann doch wieder Bandenmitglieder,
nur eben in der Verkleidung von Wald- oder
Wildhütern.
Wir wanderten stadtauswärts zur Drina, zur
Grenzbrücke. Vielleicht würden wir wider Er-
warten doch hinüber nach Bosnien gelassen,
welches dort hinter den Schneeschwaden, die
Hügel und Matten jetzt scharfumrissen, jetzt

verschwunden, fern und nah erschien. Ziemlich viele Menschen waren in dem hohen Schnee unterwegs, hauptsächlich aber nur Alte und Kinder, welche letzteren stadtwärts, nachdem sie wohl die Brücke überquert hatten, zur Schule gingen, mit einem mannigfaltigen, aus allen Weltrichtungen stammenden Kopfschutz, dazwischen ein Greis, den Schädel mit einem ausgefransten Handtuch umwickelt. Aus ihren Grüppchen heraus sagten diese Kinder immer wieder »How do you do?« und schütteten sich danach aus vor Lachen. Fast allen Entgegenkommenden, ob Jungen oder Alten, fehlten mehrere Zähne, so auch dem Grenzposten auf der serbischen Brückenseite, der uns schließlich weiterließ, freilich auf eigene Gefahr; die bosnischen Serben jenseits waren bekanntlich auf ihr Mutterland schon längst nicht mehr gut zu sprechen. Und jetzt die Drina, breites, winterschwarzgrünes, gleichmäßig schnelles Gebirgswasser, noch dunkler, ja finster erscheinend durch die Flockendiesigkeit zu beiden Ufern. Langsames Gehen über die Brücke, der Bibliothekar, der Einheimische, wie bei jedem Schritt zur

Umkehr bereit, mit einer Besorgnis im Blick nah der nackten Angst. In der Mitte zwischen den zwei Ländern dann am Geländer eine Art Lichtschrein befestigt, wie improvisiert und zugleich wie an einem buddhistischen Fluß, in meiner Vorstellung ein Behältnis für Kerzen, eine Totenleuchte für die Nacht. Doch beim Aufmachen war in der vermeintlichen Laterne nichts als Asche, voll mit Zigarettenstummeln.

Das jenseitige Grenzhaus endlich, und dort ein paar Schritte, Gedenkschritte, nach Bosnien hinein. Die zerbrochene Scheibe am Häuschen, und hinter diesem zwei Wegabzweigungen, mehr oder weniger steil bergauf. Der Grenzer mit seinem Schießblick – oder war das nicht eher eine wie unheilbare, auch unzugängliche Traurigkeit? Nur ein Gott hätte die von ihm wegnehmen können, und in meinen Augen floß die dunkle leere Drina als solch ein Gott vorbei, wenn auch als ein völlig machtloser. Nein, wir durften nicht in sein Land. Doch ließ er uns eine Zeitlang so auf dessen Schwelle stehen, schauen, hören – wir allesamt dabei ohne Neugier, mit nichts als

Scheu. Über diesen bosnischen Berghang zog sich eine bäuerliche Streusiedlung, die Gehöfte jeweils in einiger Distanz voneinander, ein jedes flankiert von Obstgärten und den balkanesischen, haushohen Heukegeln oder -pyramiden. Hier und da zeigte sich sogar ein Rauchfang, der qualmte (ich hielt das zunächst für Ruinenrauch, oder war es nicht vielleicht in der Tat Ruinenrauch?). Aus den meisten Anwesen aber rauchte gar nichts, und oft fehlte nicht bloß der Rauchfang, sondern das ganze Dach, auch die Türen und Fenster darunter. Dabei seltsamerweise kaum Brandspuren, so daß diese Gehöfte dann wieder den ewig nicht fertigen, typischen Gastarbeiterhäusern Gesamtjugoslawiens glichen, und das nicht nur auf den zweiten Blick, sondern auch auf den dritten. Waren sie im Bau oder zerstört? Und wenn zerstört, so jedenfalls eher teils geradezu sorgfältig abmontiert, abgetragen, die Teile weitergeschleppt.

Und unversehens kam es nun von dem Grenzstadt-Bibliothekar: »In diesem Morast, wo einst jeder Vogel sein Lied sang, haben sich europäische Geister bewegt. Ich weiß nicht, wie ich es erklären soll, daß ich immer mehr zum Jugoslawen werde. Für solche sind das jetzt die schwersten Zeiten. Und wenn ich überlege, so war es für solche immer am schwersten. Ich kann nicht Serbe, nicht Kroate, nicht Ungar, nicht Deutscher sein, weil ich mich nirgends mehr zu Hause fühle.«

Und dann kam auch noch von meinem Freund Žarko, dem serbischen Deutschbrotesser, ein solchem Faktum eher widersprechendes Lied: »Ob das Leben in Deutschland für mich Serben jetzt mörderisch ist? Tatsache ist, daß sich Deutschland zu einem schönen, reichen, paradiesischen Land emporgearbeitet hat. Die Welt als Maschine. Auch die Häuser sind Maschinen. Das Gekläff der Hunde auf den Straßen gleicht dem Kreischen der Maschinen in den Fabrikhallen. In den Selbstbedienungsläden ist es, als würdest du Schrauben kaufen, keine Milch. In den Schlachterläden, als würdest du Nägel kaufen, keinen Schinken. In den Apotheken, als würdest du Hämmer kaufen, kein Aspirin.«

Was mich angeht, kann ich jetzt sagen, daß ich mich kaum je so stetig und beständig in die

Welt, oder das Weltgeschehen, einbezogen? eingespannt? – eingemeindet gefunden habe wie in der Folge während der ereignisreichen Schnee- und Nebeltage dort in der Gegend von Bajina Bašta an dem bosnisch-serbischen Grenzfluß. Daß mir in dieser doch bedrängten Lage nichts Ungutes zustieß, nicht das geringste, hieß: nur Gutes. Und die Ereignisse?

Statt etwa ein altes Kloster in der Nachbarschaft zu besuchen, welches im übrigen durch das unausgesetzte Schneetreiben unzugänglich war, fuhren wir die Drina aufwärts, so immer die Grenze entlang, wo Olgas Mutter lebte, im Zweiten Weltkrieg Krankenschwester bei den Tito-Partisanen. Ihr Mann hatte sich vor ein paar Jahren wegen einer schweren Krankheit, aber mehr noch aus Kummer über das Ende seines Jugoslawien mit seinem Partisanengewehr erschossen, und sie bewohnte nun allein ein winziges Haus (vergleichbar etwa dem eines Straßenwärters) am Fuße des Dicken Bergs, zwischen dessen Steilabfall gerade Platz für ihren Garten und einen Streifen Kartoffellands war. Obwohl die alte Frau im

Zimmer den ganzen Nachmittag ihr Kopftuch aufbehielt, hatte sie, anmutig-stolz in ihrer Haltung und zugleich ständig sprungbereit, etwas von einer Befehlshaberin, oder von der einzigen weiblichen Person unter einer Hundertschaft von Soldaten, diesen gleichgestellt. Und sie würde bis an ihr Lebensende eine durchdrungene – nicht serbische, sondern jugoslawische Kommunistin sein; nicht allein für die Epoche nach dem Zweiten Weltkrieg – auch heute noch galt ihr das als die einzige, die einzig vernünftige Möglichkeit für die südslawischen Völker: vor dem deutschen Einfall 1941 habe es, in dem Königreich, einige wenige gegeben, welchen fast alles gehörte, und neben ihnen nichts als himmelschreiende Armut, und jetzt, in diesem serbischen Sonderstaat – dessen Machthaber, wie in den anderen Neustaaten, seien »Verräter« –, wiederhole sich das mit den paar allesraffenden Kriegsgewinnlern und dem frierenden Habenichtsvolk. (Und zumindest das stimmte, denn es sprang ins Auge, was Zlatko, der aus Österreich anderes gewohnte Auslandsserbe, einmal so ausdrückte: »Das ganze Volk friert.«)

Nachmittaglang saßen wir in der Grenzhütte, und als dann auf der einen Seite der Drina die Dorflichter angingen, blieb es jenseits vollkommen dunkel, oder verdunkelt?, während es vor dem Krieg von den Fenstern dort nur so hergestrahlt habe, eine Flußseite wie ein Spiegel der andern; und sie vermisse, sagte die alte Frau, die Bosnier, ob Serben oder Muslime, vor allem auch wegen des Obstes, mit dem diese, begünstigt im Obstbau durch die weniger steilen Berghänge, allherbstlich her über die Drina gekommen seien. (Auf der Rückfahrt von jenem Dorf an der Flußstraße dann die vom Autoscheinwerfer aus der Finsternis herausgeschnittenen Gestalten der hier einquartierten Flüchtlinge, zuhauf, welche seit Stunden schon warteten, in die Stadt mitgenommen zu werden – kaum ein Auto fuhr.)

Oder wir hockten auch nur, in Mäntel und Anoraks gewickelt, zu zweit, wohl als die einzigen regulären Gäste, bis weit nach Mitternacht in der längst lichterlosen Halle des Hotels »Drina« und erholten uns von dem Gesang und Geschmetter eines »Guslar«, eines der angeblich aus der Tradition Homers kommenden Sängers serbischer Heldensagen, welcher uns zuvor einen ganzen Abend lang die Ohren gefüllt hatte, noch dazu in einer engen Privatwohnung, sein Schmettern gesteigert von dem Beiklang seiner Gusla, Streichinstrument mit einer einzigen, dabei raffiniert verzopften Saite – erholten uns da im Dunkeln, indem wir einander weniger Heldisches, auch Blödsinniges, erzählten, oder einfach bloß auf das unendliche Flockengespindel weit auf der Hauptstraße schauten (und: stand dort das Auto noch?).

Abreise dann eines Frühnachmittags bei endlich nachlassendem Schneefall, auch da nur mehr zu zweit, weil Žarko (der angeblich »Feurige« oder »Glutende«) noch eine Zeitlang bei seiner Tochter und in Frau Olgas Wärmestube bleiben wollte (die »Deutsche Welle« gab ihm noch eine Woche frei). Und flußab also ging es, nordwärts, durch das bald schon dämmrige und bald und für lang nachtschwarze Serbien, an mehr und mehr matschigen Schneehaufen vorbei, welche bei der Überquerung der Fruška Gora, dem langrückigen Berg vor Novi Sad (für den großen Serbendichter Miloš Crnjanski einst nach dem Ersten Weltkrieg mehr Fremdheitsberg als Hausberg), sich noch ein letztes Mal zu eisigen Wächten aufrichteten. Und nach wieder einer Kaltnacht, im Hotel »Turist« der Vojvodina-Kapitale, frühmorgendlicher Einkauf von ein paar Packungen Zigaretten der Marke »Morawa« und »Drina« auf dem Novi Sader Markt und des serbisch-kyrillischen Pilzführers in einer Novi Sader Buchhandlung, beides gedacht für die Vorstadt von Paris. Und dort auch die einzige Begegnung meiner gesamten Serbienzeit mit anderen Reisenden, zwei jungen Burschen aus dem Staat New York, die mich nach einem billigen Hotel fragten und in Novi Sad einen Film drehen wollten, »only a short one«. Und auf dem Weg zur ungarischen Grenze dann vor Subotica, weiterhin in der Bitterkälte, bei sporadisch die fast schon pußtahafte Ebene durchschießenden Schneekörnern, wie eh und je die durch das Land irrenden oder schon tot und steinhart auf die Fahrbahn gestreckten Hunde (Zlatko: »In Rumänien liegen noch viel mehr!«); jener Spatz, der gegen die Frontscheibe krachte; und die noch und noch Rabenhorden auf dem meist leeren Asphalt, wozu mein Fahrnachbar dann einmal sagte, wie seltsam, daß immer auch noch jeweils eine Elster unter die Raben gemischt sei – gerade, als ich ihn auf ebendas aufmerksam machen wollte.

In den Jahren der jugoslawischen Sezessionskriege hatte ich mich wiederholt durch die neugegründete Republik Slowenien bewegt, einst »meine Gehheimat«. Solches Bewußtsein der Verbundenheit wollte sich dabei jedoch keinmal mehr einstellen, nicht für einen Augenblick (der wäre nicht flüchtig gewesen). Mag sein, das lag auch an mir, an meiner vielleicht kindischen Enttäuschung, zum Beispiel angesichts des herrlichen Bergs Triglav (einst der höchste von Ganz-Jugoslawien), dort nördlich des Wocheiner Sees in den Julischen Alpen, diesen Dreikopf zugleich als Neuerdings-Umriß auf den slowenischen Staatsautoschildern und der Staatsflagge zu wissen; und vielleicht bin ich auch falsch gegangen, hätte von mir aus dort neue

Wege gehen sollen, und nicht die dauernd-
gleichen.

Und trotzdem konnte solch jähes Abwenden,
solch plötzliche Verschlossenheit und Unzugänglichkeit des Landes nicht bloß in meiner
Einbildung liegen. Kaum einen Monat vor unserer serbischen Reise bin ich, wie üblich
allein, durch die Wocheiner Talschaft gewan-
dert, und von dort nach Süden über das
Isonzotal hinunter und hinauf zu dem Karst
oberhalb von Triest. Die Wocheingegend und
ihr so lebendigstiller See ganz zuhinterst, von
dem es nur noch ohne Straßen, hoch in die
Berge, weitergeht, ist einmal ein mythischer
Ort gewesen, auch für die Serben: zumindest
gibt es von deren Dichtern nicht wenige
Initiationstexte (oder Zeugnisse, Aufrufe zu
einem weniger alltagsblinden, dichterischen
Leben), die hervorgerufen sind von dieser Gegend der »slowenischen Brüder«.

Jetzt aber traf ich das bewährte Hotel »Zlato-
rog« (= ein Fabelsteinbock), eher eine Riesen-
almhütte, hinten am Talschluß, vollends aus-
gerichtet auf die Deutschsprachigkeit, und am
Eingang waren die gerahmten Photos vom

einstigen Besuch Titos entfernt worden –
nicht gerade schade darum – und ersetzt
durch entsprechende Willy Brandts, wobei ich
mich fragte, ob der nicht seinerzeit in Beglei-
tung des Marschalls gekommen war. Und im
staatlichen Fernsehen – sonst fast nur deutsche und österreichische Kanäle – wird dann
wieder und wieder eine ausländische Handels-
oder Wirtschaftsdelegation von strikt einhei-
mischer Folklore angesungen, mit Hinzutritt
schließlich des slowenischen Staatspräsidenten, eines einstmals doch tüchtigen und stol-
zen Funktionärs?, der jetzt aber in der Haltung
eines Kellners, fast Lakaien, den Ausländern
sein Land andient, so, als wollte es tüpfchen-
genau jener Aussage eines deutschen Unter-
nehmers und Auftraggebers entsprechen, die
Slowenen seien nicht dies und das, vielmehr
»ein fleißiges und arbeitswilliges Alpenvolk«.
Und frühmorgens dann der im übrigen nicht
unerfreuliche Supermarkt, halb schon im
Bergwald, hinterm Hotel, hat, womöglich
noch vor dem einheimischen *Delo*, der Tages-
zeitung aus Ljubljana, das deutsche *Bild* bereit,
gleich neben den Tuben- und Dosenstapeln

mit Nivea, das bißchen Slowenische da nur kleinstreifenweis über den vorherrschenden deutschen Grundtext geklebt (Satz des ersten Kunden: »Ist *Bild* schon da?«). Und in dem immer noch schön ländlichen Bahnhof von Bohinjska Bistrica sind dann, natur- oder geschichtegemäß, die geradezu gemäldehaften Abbildungen der serbischen Klöster, der montenegrinischen Bucht von Kotor und des mazedonisch-albanischen Sees von Ohrid ersetzt worden – nicht einmal durch reinslowenische Landschaften, sondern durch Drucke von Kinderzeichnungen.

Ein kindlicher Staat also? Nur will es mir dazu nicht aus dem Sinn, wie, auch bei allen Reisen zuvor durch den neuen Staat, auf der verläßlich sanftweiten Karsthochfläche dann die Zugänge zu ähnlichen Bahnhöfen, und wenn die noch so fern draußen in der Wildnis lagen, plakatiert waren mit noch und noch staatlichen Aufforderungen zur (europawürdigen) Säuberlichkeit in der Landschaft und zur gegenseitigen Wachsamkeit diesbezüglich – wozu jeweils auch paßte, daß die zu hörende und nicht zu überhörende Rundfunkmusik im ganzen Land, wenn nicht kleinvolkstümlich, ausnahmslos als vornehme europäische Klassik erscholl, eine Art, selbst mit den hellsten Stücken eines Mozart oder Haydn das Reisendengemüt zu verfinstern.

Und einmal war ich so unterwegs gewesen zu dem grauweißen Kalksteinbahnhof weit außerhalb des Karstdorfes Dutovlje. Und beim Einbiegen dort von der Überlandstraße vermißte ich in dem Irren- und Siechenhaus an der sonst unbebauten Ecke das sonst während sämtlicher Wanderjahre da zu den Fenstern heraustönende Kreischen, Heulen und Zähneknirschen der Insassen: es war ausgewechselt entweder durch diskrete Stummheit hinter diesem Fenster oder gedämpfte Radioklavierkonzerte hinter jenem; und ging dann weiter zu der Station, wo aus dem alten, schwarzgebohnerten Wartesaal überhaupt jegliches Wandbild aus dem früheren Jugoslawien entfernt worden war, statt dessen am Bahnhofseingang wieder so ein öffentlicher Entschmutzungsaufruf; und sah dann am Wegende, vor der Karstsavanne, einen Lastwagen geparkt, mit einem Kennzeichen aus

Skopje/Mazedonien, früher auf den slowenischen Straßen keine Seltenheit, jetzt freilich eine Einmaligkeit, dazu der Fahrer bei der Rast, draußen im Steppengras, allein weit und breit, wie aus den Jahren vor dem Krieg übriggeblieben; und hörte dann die Kassette aus seinem Transistor, eine ziemlich leise gestellte orientalische, fast schon arabische Musik, wie sie hier einst mit tausend anderen Weisen mitgespielt hatte und inzwischen sozusagen aus dem Luftraum verbannt war; und der Blick des Mannes und der meine begegneten einander, momentlang, lang genug, daß das, was sich zwischen uns ereignete, mehr war als bloß ein gemeinsamer Gedanke, etwas Tieferes: ein gemeinsames Gedächtnis; und obwohl sich das Umland durch den Klang jetzt neu zu öffnen und zu strecken schien, bis in den fernsten, gleich schon griechischen Süden, verpuffte solch kontinentales Gefühl (im Gegensatz zum »ozeanischen« herzhaft) fast zugleich, und es zuckte nur ein Phantomschmerz durch die Luft, ein gewaltiger, mit Sicherheit nicht bloß persönlicher.

Danach durch Serbien reisend, hatte ich dagegen keinerlei Heimat zu verlieren. Nicht, daß das Land mir fremd war, in dem Sinn, wie einst das baskische Bilbao, vor allem mit seiner Schriftsprache, so befremdlich wirkte, daß ich dort einmal beim Betreten eines öffentlichen Pissoirs erwartete, selbst die Pißbecken dort würden unerhörte, nie gesehene Formen zeigen, oder hoch oben an den Wänden angebracht sein statt unten am Boden. Nein, weder wurde ich in Serbien etwa heimisch, noch aber erlebte ich mich je als ein Fremder, im Sinn eines Unzugehörigen oder gar vor den Kopf Gestoßenen. Beständig blieb ich ein Reisender, ja ein Tourist, wenn auch jener neuen Art, welche seit kurzem die Reiseforscher oder -wissenschaftler dem »Urlauber« als »nachhaltiges Reisen« vorschlagen. Denn das Reisen – siehe das Reiseblatt der *Frankfurter Allgemeinen Zeitung* vom 23. November 1995 – möge »endlich als wertvolles Gut begriffen werden«, was schwer sei, »solange die Wahl des Reiseziels abhängig ist vom Prestige, das ihm anhaftet«; kein »anbieter-, sondern nachfrageorientiertes« Reisen – nur so erfahre der Urlauber, »was seine Reise bewirkt«; kurz: »nachhaltiger Tourismus«.

Im serbischen Fall nachhaltig wie? Zum Beispiel ist mir von dort das Bild einer, im Vergleich zu der unsrigen, geschärften und fast schon kristallischen Alltagswirklichkeit geblieben. Durch den Kriegszustand? Nein, vielmehr durch ein sich offensichtlich europaweit geächtet wissendes ganzes, großes Volk, welches das als unsinnig ungerecht erlebt und jetzt der Welt zeigen will, auch wenn diese so gar nichts davon wahrnehmen will, daß es, nicht nur auf den Straßen, sondern ebenso abseits, ziemlich anders ist.

Geblieben ist mir, gerade in der eben kristallscharf zu spürenden Vereinzelung fast eines jeden dort, überhaupt erst etwas wie das sonstwo wohl zu Recht längst totgesagte »Volk«: faßbar, indem dieses im eigenen Land so sichtlich in der Diaspora haust, ein jeder in der höchsteigenen Verstreutheit (dazu bei meiner Rückkehr in dem Vogelschlafbaum am Vorstadtbahnhof die nachts vor Kälte geplusterten Vögel, jeder im Abstand zum andern, und zwischen den Leibern auch hier der fallende Schnee). Und geblieben oder nachhaltig ist, ganz profan gesprochen, einfach schon das Reisen in einem reinen Binnenland, sogar fast ohne natürliche Seen, nur mit Flüssen, aber was für welchen! – wer einmal so ein zünftiges Binnenland erleben möchte, einzig Flüsse, kein Meer weit und breit: auf mit ihm nach Serbien.

Und nachhaltig ist mir zuletzt vor allem das: Niemand kennt Serbien – frei nach der Erzählung von Thomas Wolfe, »Nur die Toten kennen Brooklyn«.

Und wenn ich auf sonstigen nachhaltigen Reisen, allein unterwegs, oft mir vorstellte oder wünschte, sie zu wiederholen in ausgewählter Gesellschaft, so wünschte ich mir diesmal, beinah ständig in einer solchen, mich in dem Land einmal ganz allein zu bewegen, und auch kaum im Auto: statt dessen im Bus, und am meisten zu Fuß.

Epilog

Aber bin ich in Serbien nicht einmal doch
ganz allein gewesen? Das war an einem der
Schneetage in der Grenzstadt Bajina Bašta.
Noch in der Morgendämmerung machte
ich mich auf den Weg, mit zwei Zielen (eingedenk meiner Lieblingsredensart »Dazu
hättest du früher aufstehen müssen!«): Auto-
busbahnhof, und Drina, nicht bei der Brücke
hinüber nach Bosnien, sondern irgendwo
außerhalb, möglichst weit hinter den Häusern und Gärten, wo sie zwischen den Feldern und Viehweiden flösse, hüben und drüben.

Es war das und blieb ein dunkler Tag, mit den
Gebirgen allerseits in Schneewolken. Schon
den Busbahnhof mußte ich langwierig suchen, es gab keine Hinweisschilder, und fragen wollte ich nicht. Er lag dann, wie erwartet
ein Flachbau, in einer durch einen Drina-Zu-
fluß geschaffenen Senke, gegenüber das erste
mir im Bajina Bašta vor Augen kommende

Haus mit einem Kreuz obenauf, sonst aber gar nicht kirchenhaft.

Im Busschalterraum die monumentalgemäldegroße Tabelle der Zielorte. Geradezu kalligraphisch hier die inzwischen geläufigen kyrillischen Schriftzeichen: БЕОГРАД (Beograd), und darunter, am Ende, СРЕБРЕНИЦА und ТУЗЛА, Srebrenica und Tuzla. Diese mächtige, dabei wie altertümliche Tafel galt jedoch nicht mehr. Der gegenwärtige Fahrplan war in einer Ecke darübergeklebt, ein kleinwinziges, formlos beschriftetes Stück Papier, und unter anderem gab es auch zu den zwei letztgenannten Orten keine Abfahrten mehr. Das Kaffeehaus daneben, eine Art Barackenhalle, war leer – bis auf eine alte Frau an einem sehr großen Tisch, dann als Wirtin oder Bedienung auftretend, zwei Schachspieler, die in der folgenden halben Stunde ungefähr zwanzig Partien Blitzschach spielten, und den einsamen Lokalältesten weit weg in einem Winkel, von wo aus er die ganze Zeit lauthals in den Raum hinein sprach, nicht für sich, sondern dringlich auf der Suche nach einem Zuhörer (der ausblieb).

Die Wanderung dann, querfeldein, fern von den letzten Stadtrandhäusern, wollte ich bald aufgeben: hoher nasser Schnee, der in die Schuhe rutschte, und zudem keinerlei Schrittspuren vor mir, wie zur Warnung. Und hatte ich die Drina nicht schon zur Genüge betrachtet? Und dennoch ging es, gingen die Beine, wie übrigens nicht zum ersten Mal in solchen Lagen, beständig weiter, auf den dunklen Auenstreifen zu, welcher Grenze und Fluß markierte. (In jenem rein-Kroatisch-Wörterbuch stand dazu für »luka«, Aue, nur noch die dem kroatischen Meerland entsprechende Bedeutung »Hafen«, während ich in einem anderen, einem Vorkriegs-Wörterbuch, dann noch »Prärie« fand.) Ob ich vom anderen Ufer betrachtet wurde? Nichts rührte sich dort in den Ruinen, oder doch unvollendeten Neubauten?, nein, Ruinen, und diesseits und jenseits wieder die haushohen, schwärzlichen, wie schon jahrealten Heukegel. Und endlich, nach der Durchquerung einer Senke, worin alle die Kleinvögel versammelt schienen, die ich zuvor auf der Reise durch Serbien so vermißt hatte, die Spatzen, die Meisen, die Rotkehlchen, die Zaunkönige, die Wiedehopfe, die Kolibris (nein, diese doch nicht), endlich, jetzt oben von einem kahlen Damm aus gesehen, wieder die Drina, schnell dahinströmend, breit, tiefgrün schimmernd, und fast fühlte ich mich dann, die Böschung hinabrutschend, an unabgeernteten, im Wind flappenden Maisäckern vorbei, zwischen den dichten Auenbüschen mehr in Sicherheit als auf dem Damm eben.

»Weiter gehst du aber nicht!« – und schon ging es, gingen die Beine mit mir zu den Büschen hinaus schnurstracks zum Ufer, an einem noch frischen Erdaushub vorbei, worin Massen von Patronenhülsen lagen (nein, doch nicht). Und ich hockte mich da hin, wobei der Fluß sich noch um einiges breiter dehnte, von den Spitzen der serbischen Winterschuhe bis zum bosnischen Ufer nun nichts als das kaltrauchige Drinawasser, in welches die großen nassen Flocken einschlugen, wobei ich mich bei dem Gedanken ertappte, ob ich auch in einem deutsch-deutschen Krieg so an einem Grenzfluß hätte hocken können. Flußabwärts, vielleicht kaum dreißig Kilometer weg, sollte das Gebiet der Enklave von Srebrenica beginnen. Eine Kindersandale dümpelte zu meinen Füßen. »Du willst doch nicht auch noch das Massaker von Srebrenica in Frage stellen?« sagte dazu S. nach meiner Rückkehr. »Nein«, sagte ich. »Aber ich möchte dazu fragen, wie ein solches Massaker denn zu erklären ist, begangen, so heißt es, unter den Augen der Weltöffentlichkeit, und dazu nach über drei Jahren Krieg, wo, sagt man, inzwischen sämtliche Parteien, selbst die Hunde des Krieges, tötensmüde geworden waren, und noch dazu, wie es heißt, als ein organisiertes, systematisches, lang vorgeplantes Hinrichten.« *Warum* solch ein Tausendfachschlachten? Was war der *Beweg*grund? *Wozu*? Und warum statt einer Ursachen-Ausforschung (»Psychopathen« genügt nicht) wieder nichts als der nackte, geile, marktbestimmte Fakten- und Scheinfakten-Verkauf?

Und weiter hockte ich so an der Drina und dachte, oder es dachte in mir, an das Višegrad des Ivo Andrić, vielleicht fünfzig Kilometer flußauf – und insbesondere an jene in der »Brücke über die Drina« (Eigentlich »Auf der

Drina eine Brücke«), geschrieben während des Zweiten Weltkriegs in dem deutschbesetzten Belgrad, so messerscharf dargestellte Stadtchronistenfigur, einen Mann, der während all seiner Aufschreiberjahre von den örtlichen Ereignissen kaum etwas festhält, nicht etwa aus Faulheit oder Nachlässigkeit, vielmehr aus Eitelkeit und vor allem Hochmut – die Geschehnisse, gleich welche, sind ihm schlechterdings nicht festhaltenswert.

Und weiter dachte ich (oder dachte es) dort, und ich denke es hier ausdrücklich, förmlich, wörtlich, daß mir allzu viele der Berichterstatter zu dem Bosnien und dem Krieg dort als vergleichbare Leute erscheinen, und nicht bloß hochmütige Chronisten sind, sondern falsche.

Nichts gegen so manchen – mehr als aufdeckerischen – *ent*deckerischen Journalisten, vor Ort (oder besser noch: in den Ort und die Menschen des Orts verwickelt), hoch diese anderen Feldforscher! Aber doch einiges gegen die Rotten der Fernfuchtler, welche ihren Schreiberberuf mit dem eines Richters oder gar mit der Rolle eines Demagogen verwechseln und, über die Jahre immer in dieselbe Wort- und Bildkerbe dreschend, von ihrem Auslandshochsitz aus auf ihre Weise genauso arge Kriegshunde sind wie jene im Kampfgebiet.

Was war das etwa für ein Journalismus, wie etwa der, fort- und fortgesetzt, im deutschen *Spiegel*, wo Karadžić »zuerst dröhnte« und dann »einknickte«, und wo bei einem Abendessen jetzt während der Friedensverhandlungen im Militärcamp von Dayton – die bundesrepublikanischen Unterhändler sind dort, vom allwissenden Wochenblatt unter der Hand gesagt, natürlich die letztlich bestimmenden – einer der Teilnehmer folgend geschildert (?) wird: »Zwischen Kampfbombern und einer Attrappe der Nagasaki-Atombombe schien es vor allem Serben-Präsident Slobodan Milošević zu behagen?« (Wenn der Kroaten-Präsident Tudjman ein bekanntes, allzubekanntes, oder, hätte man früher gesagt, »sattsam bekanntes« Übel ist, so zeigt sich daneben Milošević, wenn er denn ein Übel ist, doch als ein bis heute ziemlich unbekanntes, welches von einem Journalisten zu erforschen wäre, anstatt zu beflegeln und zu denunzieren.) Und was ist das für ein Journalismus, in dem, eine Woche später, die durch den Vertrag unter die Macht des Moslemstaats gekommenen Serben von Sarajevo, wobei die *Spiegel*-sprache auf einmal von ihrer handelsüblichen Niedrigkeit überwechselt zu Biblischem, sich »betrogen sehen um ihren Judaslohn«? (Wozu der unvermeidliche »Balkan-Experte« in *Le Monde* dann unnachahmlich meinte, dort unten hätten »heutigentags sehr wenige die Lust, in Gebieten zu leben, wo nicht die Vertreter des eigenen Volkes die Gesetzgeber sind« – heutigentags erst? Und nur dort auf dem Balkan?) *Der Spiegel* ein Deutschen-Spiegel der besonderen Art.

Wohlgemerkt: hier geht es ganz und gar nicht um ein »Ich klage an«. Es drängt mich nur nach Gerechtigkeit. Oder vielleicht überhaupt bloß nach Bedenklichkeit, Zu-bedenken-Geben.

So kann ich zum Beispiel recht gut verstehen, daß der ständige Bosnien-Spezialentsandte von *Libération*, vor dem Krieg alles andere als ein Jugoslawienkenner, vielmehr ein quicker, stellenweise vergnüglich zu lesender Sportjournalist (brillierend vor allem bei der Tour de France), für seine Depeschen aus dem Kriegsgeschehen solche und solche Helden und daneben den gestaltlosen, uninteressanten, stieren Verlierer- oder Unter-ferner-liefen-Pulk im Auge hat – doch wieso muß er sich dann öffentlich belustigen über die »Absurdität« und die »Paranoia« dort in den serbischen Sarajewo-Bezirken, wenn er auf Transparenten die Frage liest: »Brauchen wir einen neuen Gavrilo Princip?« So wie ich es auch verstehe – freilich schon weniger gut –, daß so viele internationale Magazine, von *Time* bis zum *Nouvel Observateur*, um den Krieg unter die Kunden zu bringen, »die Serben« durch Reihe und Glied dick und fett als die Bösewichter ausdrucken und die »Moslems« als die im großen und ganzen Guten.

Und es interessiert mich sogar inzwischen, wie in dem zentralen europäischen Serbenfreßblatt, der *Frankfurter Allgemeinen Zeitung*, deren Haßwortführer dort, deren Grundstock des Hasses, ein fast tagtäglich gegen alles Jugoslawische und Serbische im Stil(?) eines Scharfrichters leitartikelnder (»ist zu entfernen«, »ist abzutrennen«, »hat kaltgestellt zu werden«) Reißwolf & Geifermüller – interessiert mich, wie dieser Journalist zu seiner Ausdauer im Wortbeschuß, von seinem deutschen Hochsitz aus, wohl gekommen sein mag. Ich vermochte diesen Mann samt seinem Schaum nie zu verstehen, doch inzwischen drängt es mich dazu: Kann es sein, daß er, daß seine Familie aus Jugoslawien stammt? Ist er, oder seine Familie vielleicht, wie etwa die deutschsprachigen Gottscheer, nach dem Zweiten Weltkrieg aus dem totalitärkommunistischen Titostaat gejagt worden, unschuldig, unter Leiden, als Opfer, als Enteigneter, nur weil er oder die Familie eben deutsch war? Wird dieser Schreiber vielleicht endlich einmal der Welt, statt mit seinen Hackbeil-Artikeln vom zerwetzten Riemen zu ziehen, erzählen, woher seine nimmermüde zerstörerische Wut auf Jugoslawien und Serbien rührt? Aber natürlich handelt (ja, handelt) er nicht allein; die ganze Zeitung weiß, was sie tut – im Gegensatz, scheint mir, zu dem und jenem bundesrepublikanischen Politiker seinerzeit beim Kurz-und-Kleinschlagen Jugoslawiens: an der Oberfläche hin und wieder von hellköpfiger, erfreulicher Vernunft, ist sie in ihrem Kern das Organ einer stockfinsteren Sekte, einer Sekte der Macht, und noch dazu einer deutschen. Und diese äußert jenes Gift ab, das nie und nimmer heilsam ist: das Wörtergift.

Und weiter dachte ich dort an der November-Drina, und denke jetzt hier an einem ähnlich winterlichen, nur stillen Waldweiher, über den gerade die Dutzende Hubschrauber mit den Staatsleuten aus aller Herren Länder hinweg-donnern, auf dem Weg vom Militärflughafen Villacoublay zur Unterzeichnung des Frie-densvertrags in Paris, am 14. Dezember 1995: Ob solch ein mechanisches Worteschleudern zwischen den Völkern, auch wenn zwischen Generationen dann darüber geschwiegen wür-de, vielleicht erblich ist, so wie ich es, in bezug auf die Serben, bei meinen Österrei-chern erlebt habe, einerseits als das alte gegen die Imperiumskiller gerichtete »Serbien muß sterbien«, andererseits als das wie neue, leut-selig-herablassend an die alpenländischen Slowenen gerichtete: »Kommt's doch zu uns!«? Würde je ein Friede geschaffen und erhalten von solchen blindwütigen Reflexmenschen quer durch die Generationen? Nein, der Friede ging nur so: Laßt die Toten ihre Toten begraben. Laßt die jugoslawischen Toten ihre Toten begraben, und die Lebenden so wieder zurückfinden zu ihren Lebenden.

Und ich dachte und denke: Wo war denn jene »Paranoia«, der häufigste aller Vorhalte gegen das Serbenvolk? Und wie stand es dagegen mit dem Bewußtsein des deutschen (und österreichischen) Volkes von dem, was es im Zweiten Weltkrieg auf dem Balkan noch und noch angerichtet hat und anrichten hat lassen? War es bloß »bekannt«, oder auch wirklich gegenwärtig, im allgemeinen Gedächtnis, ähnlich wie das, was mit den Juden geschah, oder auch bloß halb-so-gegenwärtig, wie es heute noch, quer durch die Generationen, den betroffenen Jugoslawen ist, die sich dafür aber von den Weltmedienverbänden einen Verfolgungswahn angedreht sehen müssen, ein »künstliches kaltes Erinnern«, ein »infantiles Nicht-vergessen-Wollen« — es sei denn, es ginge zwischendurch um die auf einmal heißen, brandaktuellen, nachrichtendienlichen Balkanverwicklungen eines österreichischen Präsidentschaftskandidaten? War solch ein deutsch-österreichisches bloßes Bescheidwissen, aber Nichts-und-aber-nichts-gegenwärtig-Haben denn nicht eine noch ganz andere Geistes- oder Seelenkrankheit als die sogenannte Paranoia? Ein sehr eigener Wahn?

Und nicht als ein Paranoiker-Land hatte zumindest ich auf meiner Reise Serbien gesehen — vielmehr als das riesige Zimmer eines Verwaisten, ja, eines verwaisten, hinterlassenen Kindes, etwas, das mir während all der Jahre keinmal in Slowenien begegnet war (aber vielleicht, siehe oben, war ich nur falsch gegangen: schnauzte denn nicht kürzlich noch einer aus dem Machtsektenorgan neu gegen das kleine Land, es liebäugele »mit Althergebrachtem« und halte fest »am unsicheren Balkan«?), und mir von Kroatien nicht vorzustellen vermochte, obwohl dabei die große jugoslawische Idee einst von dort ausgegangen war? Aber wer weiß? Was weiß ein Fremder?

Und ich steckte die Hände in das Drinawinterwasser und dachte, und denke es jetzt: Ob es denn meine Krankheit sei, nicht so schwarzseherisch sein zu können wie der Ivo Andrić in seinem dabei dauerhaft lehrreichen Drina-Epos, unfähig zu sein zu seinem Gewißbild einer alle Jahrhunderte einmal zwischen den bosnischen Völkern wie naturnotwendig neuausbrechenden Kriegskatastrophe? War Andrić nicht ein Menschenkenner, so scharf, daß ihm davon manchmal die Menschen-Bilder verblichen? Sollte denn mit der Drina hier bis ans Ende der Zeiten die Aussichtslosigkeit dahinströmen? Und eins der Floße von früher zog da jetzt vor meinen Augen vorbei, obendrauf die berühmte Gestalt eines *splavar*, eines Drinaflößers – aber nein, nichts da. Und am bosnischen Ufer schmetterten jetzt die Zigeunertrompeten, aus Kusturicas Film?, den berühmten »Drina-Marsch« – aber nein, gar nichts.

Und ich dachte angesichts der Drina und denke es nun auch hier an dem Schreibtisch: Hat es meine Generation bei den Kriegen in Jugoslawien nicht verpaßt, erwachsen zu werden? Erwachsen nicht wie die so zahlreichen

selbstgerechten, fix-und-fertigen, kastenhaf-
ten, meinungsschmiedhaften, irgendwie welt-
läufigen und dabei doch so kleingeistigen
Mitglieder der Väter- und Onkel-Generation,
sondern erwachsen, wie? Etwa so: Fest und
doch offen, oder durchlässig, oder mit jenem
einen Goethe-Wort: »Bildsam«, und als Leit-
spruch vielleicht desselben deutschen Welt-
Meisters Reimpaar »Kindlich/Unüberwind-
lich«, mit der Variante Kindlich-*Überwindlich*.
Und mit dieser Weise Erwachsenseins, dachte
ich, Sohn eines Deutschen, ausscheren aus
dieser Jahrhundertgeschichte, aus dieser Un-
heilskette, ausscheren zu einer anderen Geschichte.

Aber wie verhielt sich meine Generation vor
Jugoslawien, wo es, und darin war der neue
Philosoph Glucksmann im Recht, für unser-
einen um die Welt ging, dabei aber grundanders als damals im Spanischen Bürgerkrieg:
um das reelle Europa, parallel zu dem das üb-
rige Europa zu konstruieren gewesen wäre?
Ich kenne dazu von den mir etwa Gleichaltri-
gen fast nur das lieblose kalte Schmähen Jo-

seph Brodskys, augen- und nuancenlos, wie mit einem rostigen Messer geführt, gegen die Serben, in der *New York Times*, und einen ebenso mechanischen, feind- und kriegsbildverknallten, mitläuferischen statt mauerspringgerischen Schrieb des Autors Peter Schneider für das Eingreifen der Nato gegen die verbrecherischen Bosno-Serben, überdies vor seinem deutschen Erscheinen schon französisch zu lesen in *Libération*, und italien- und spanienwärts wo? – Erwachsenwerden, Gerechtwerden, keinen bloßen Reflex mehr verkörpern auf die Nacht des Jahrhunderts und die so noch verfinstern helfen; aufbrechen aus dieser Nacht. Versäumt? Die nach uns?

Aber ist es, zuletzt, nicht unverantwortlich, dachte ich dort an der Drina und denke es hier weiter, mit den kleinen Leiden in Serbien daherzukommen, dem bißchen Frieren dort, dem bißchen Einsamkeit, mit Nebensächlichkeiten wie Schneeflocken, Mützen, Butterrahmkäse, während jenseits der Grenze das große Leid herrscht, das von Sarajewo, von Tuzla, von Srebrenica, von Bihać, an dem gemessen die serbischen Wehwehchen nichts sind? Ja, so habe auch ich mich oft Satz für Satz gefragt, ob ein derartiges Aufschreiben nicht obszön ist, sogar verpönt, verboten gehört – wodurch die Schreibreise eine noch anders abenteuerliche, gefährliche, oft sehr bedrückende (glaubt mir) wurde, und ich erfuhr, was »Zwischen Scylla und Charybdis« heißt. Half, der vom kleinen Mangel erzählte (Zahnlücken), nicht, den großen zu verwässern, zu vertuschen, zu vernebeln?

Zuletzt freilich dachte ich jedesmal: Aber darum geht es nicht. Meine Arbeit ist eine andere. Die bösen Fakten festhalten, schon recht. Für einen Frieden jedoch braucht es noch anderes, was nicht weniger ist als die Fakten.

Kommst du jetzt mit dem Poetischen? Ja, wenn dieses als das gerade Gegenteil verstanden wird vom Nebulösen. Oder sag statt »das Poetische« besser das Verbindende, das Umfassende – den Anstoß zum gemeinsamen Erinnern, als der einzigen Versöhnungsmöglichkeit, für die zweite, die gemeinsame Kindheit.

Wie das? Was ich hier aufgeschrieben habe, war neben dem und jenem deutschsprachigen

Leser genauso dem und jenem in Slowenien, Kroatien, Serbien zugedacht, aus der Erfahrung, daß gerade auf dem Umweg über das Festhalten bestimmter Nebensachen, jedenfalls weit nachhaltiger als über ein Einhämmern der Hauptfakten, jenes gemeinsame Sich-Erinnern, jene zweite, gemeinsame Kindheit wach wird. »An einer Stelle der Brücke war jahrelang ein Brett locker.« – »Ja, ist dir das auch aufgefallen?« »An einer Stelle unter der Kirchenempore bekamen die Schritte einen Hall.« – »Ja, ist dir das auch aufgefallen?« Oder einfach von der, unser aller, Gefangenschaft in dem Geschichte- und Aktualitäten-Gerede ablenken in eine ungleich fruchtbarere Gegenwart: »Schau, jetzt schneit es. Schau, dort spielen Kinder« (die Kunst der Ablenkung; die Kunst als die wesentliche Ablenkung). Und so hatte ich dort an der Drina das Bedürfnis, einen Stein über das Wasser tanzen zu lassen, gegen das bosnische Ufer hin (fand dann nur keinen).

Das einzige, was ich mir auf der serbischen Reise notierte, war – neben »Jebi ga!«, *Fick ihn,* geläufiger Fluch – eine Stelle aus dem Abschiedsbrief jenes Mannes, der, ehemaliger Partisan wie seine Frau, nach dem Ausbruch des Bosnienkrieges sich das Leben genommen hatte. Und hier notiere ich es noch einmal, in der gemeinsamen Übersetzung von Žarko Radaković und Zlatko Bocokić, alias Adrian Brouwer:

»Der Verrat, der Zerfall und das Chaos unseres Landes, die schwere Situation, in die unser Volk geworfen ist, der Krieg (serbokroatisch ›rat‹) in Bosnien-Herzegowina, das Ausrotten des serbischen Volkes und meine eigene Krankheit haben mein weiteres Leben sinnlos gemacht, und deswegen habe ich beschlossen, mich zu befreien von der Krankheit, und insbesondere von den Leiden wegen des Untergangs des Landes, um meinen erschöpften Organismus, der das alles nicht mehr aushielt, sich erholen zu lassen.«
(Slobodan Nikolić, aus dem Dorf Peručač bei Bajina Bašta an der Drina, 8. Oktober 1992.)

[27. Nov. - 19. Dez. 1995]

Sommerlicher Nachtrag
zu einer winterlichen Reise

»Zu bedenken: ob es erlaubt sei, die Geschichte, im Speziellen die seiner eigenen Zeit, zu schreiben und zu lesen«

(Überschrift des 1. Kapitels der *Mémoires* des Duc de Saint-Simon, 1675-1755)

»Es war im Sommer, und die Morgenstunde war schön, und die Bäume waren grün, und die Wiesen waren bedeckt mit Gras und Blumen«

(Das mittelalterliche Epos von *Lancelot und Ginover*, S. 841)

Zu meiner Erzählung von einer winterlichen Reise durch das Serbien am Ende des Jahres 1995 ist jetzt, gut sechs Monate danach, vielleicht ein Nachtrag nötig.

Im späten Frühling traf ich mich in Belgrad mit meinen serbischen Freunden, dem Sprachlehrer und Übersetzer Žarko sowie dem Maler, Autofahrer und Lebenskünstler Zlatko, zu einer Art Wiederholung unserer ersten Fahrt durch das Land, mit der erhofften Variante, von der westserbischen Grenzstadt Bajina Bašta hinüber nach Višegrad in die inzwischen so genannte »Republika Srpska« von Bosnien zu gelangen, der Brücke dort über die Drina und Ivo Andrić' wegen, und einfach nur so.

Ein Anlaß zu der neuerlichen Reise – aber eben nur ein Anlaß – war die Übersetzung meiner Erzählung ins Serbische; das Buch auf den Weg gebracht, wollte ich mit den beiden Serbenleuten unverzüglich im Auto zur Stadt Belgrad hinaus und das Weite suchen; wie schon beim ersten Mal kam ich nach Serbien vordringlich als ein Tourist, ein einzelner, aus

eigenem, was auch »auf eigene Rechnung«
hieß, hatte noch weniger als beim ersten Mal
vor, von unserem Unterwegssein etwas aufzu-
schreiben, und machte mir dann auch noch
weniger Notizen, nämlich keine einzige.

Große Schwüle bei der Yugoslav-Air-Trans-
port-Landung in der Belgrader Flüsse-Ebene,
und das Gras um das Flugfeld so hoch, ohne
Blumensprenkel, als sei es schon Sommer, der
Frühling längst vorbei. Die Tankstellen an den
Zentralstraßen wieder offen wie von altersher,
keine Kanisteranbieter mehr an den Rändern.
Dafür mitten in der Stadt streikende Arbeiter,
wenn auch nicht gerade massenweise, aus
staatlichen Betrieben, ihre ausstehenden Löh-
ne verlangend vor dem Machtgebäude der
jugoslawischen Bundesregierung, hinter den
hohen Scheiben dort manchmal ein Politiker-
oder eher Politikersekretärsgesicht.

Festgehalten sei hier von den paar Belgrader
Tagen jedoch sonst nur das Fröschegeknarze
an der, nach Aufhebung des Embargos, wieder von Frachtschiffkarawanen durchzoge-

nen Donau draußen in der Vorstadt Zemun, ein Knarzen und Schnarren, welches beim ersten Donnerschlag eines Hitzegewitters umsprang in ein wildes Geschrei und Gebrüll, bei dem folgenden Schlag aber verstummte und Donner für Donner dann gleichsam stumm und stummer wurde; und danach noch das Pokalendspiel, Fußball, zwischen Roter Stern und Partisan Belgrad draußen an einem anderen Stadtrand, nah an Titos Mausoleum: Gigantisches Zuschauergetümmel – die Zuschauer insgesamt als ein Gigant – himmelan im Oval um die beiden rein serbischen Stadtmannschaften, so als ginge es da noch wie einst um ein großjugoslawisches Finale, zwischen, sagen wir, Crvena Zvezda Beograd und Dinamo Zagreb, oder Partizan Beograd und Hajduk Split, oder, na ja, Olimpija Ljubljana; mit der Zutat einer Serie von Dichtrauchbomben, giftgrünen, schwefelgelben, blaulichtblauen jetzt hinter dem Roter-Stern-Tor, jetzt hinter dem Partisanen-Tor, Schwaden, welche über die Parteigänger hinaus auch die Spieler unten auf dem Rasen zunebelten, so daß von dem Match über große Zwischenzeiten kein einziger Spielzug sichtbar wurde, nichts als durch den Qualm hetzende Trikotträger, und so das Augenmerk fast einzig auf die Zuschauer gerichtet: eine Überaktivität und Aufgeregtheit dort auf sämtlichen Sitz- und Stehplätzen, als sollte damit, hier im kleinen Serbien, eine frühere, die gesamte dinarische Landstrecke von Rijeka bis Mazedonien umfassende Bedeutung zurückbeschworen werden, fast hysterisch zu nennen, hätte nicht in den Augenwinkeln selbst des wie außer sich geratenen Partisan- oder Rotstern-Fans zugleich eine Art von Ironie mitgeschwungen: man mußte nur hinschauen, und schon blinzelte oder zwinkerte, nein, schimmerte sie zurück.

Aufbruch endlich aus der überhitzten, wohl stärker noch als vor Krieg und Embargo von Autos durchrumpelten Hauptstadt, westwärts zu den bosnischen Bergen, ausgestattet mit einem lakonischen Begleitschreiben der Serbischen Republik dort, das wir abgeholt hatten in einem vom Boulevard aus zunächst offenen, dann mehr und mehr labyrinthisch wer-

denden Büro- oder Kleinfirmen-Gebäude der
Belgrader Innenstadt – labyrinthhaft auch
durch die etagenauf gesteigerte Schadhaftig-
keit oder eher Behelfsmäßigkeit der Räume –,
die Vertretung, oder was auch immer, der Republika Srpska da eingemietet wie in eine der
vielen dem Anschein nach eher kümmerli-
chen, auf Aufträge wartenden Handelsnieder-
lassungen. Nach wiederholt falschem Türöff-
nen endlich in dem für uns zuständigen
Zimmer, doch auch dort weder das erwartete
Porträt des Radovan K. oder Ratko M. an den
Wänden, vielmehr nur ein Naturbild, eine typisch steile bosnische Viehweide, wie eine
Lichtung waldumstanden, von Bildrand zu
Bildrand ein Karrenweg, verschwindend in
hüfthohem Gras, und davor an zwei recht leeren Schreibtischen jetzt zwei sommerlich ge-
kleidete Frauen, von jener für ganz Jugoslawien eigentümlichen Eleganz – Stolz ohne
Attitüde, Stolz aus Aufmerksamkeit, oder aus
Geistesgegenwart –, zugleich uns drei anblik-
kend mit einem ländlichen (nicht etwa bäuerlichen!) Vertrauen, das geradezu verlegen
machte: Ja, sie sahen in uns einmal welche, die

nicht von vorneherein als Feinde oder Übel-
wollende in ihr verfemtes Land strebten; deren Reiseziel oder Hinter- und Hauptgedanke
es jedenfalls nicht war, weitere Worte und Sätze zuzuhäufeln zu der Sage von ihrem Volke
als einem von Vergewaltigern, Schlächtern
und uneuropäischen Barbaren – und so: »Sre-
tan put! Glückliche Fahrt!«

Zunächst dann freilich, kaum aus Belgrad heraus und in der »typisch serbischen« Ebene
wieder Richtung Dicker Berg (dahinter Drina . . . dahinter Bosnien . . .), genau wie zuvor
bei der Winterfahrt das Verirren, und genau an
derselben Stelle, und so von neuem der Umweg, auf Landstraßen mit Schlaglöchern so
klein – und schlecht zu sehen – wie tief, daß es
eine Hindernisfahrt wurde, kurviger noch als
die vielen Kurven, wie seinerzeit im Novemberschnee. Erst vor der Bergfußstadt Valjevo
zurückgefunden auf die richtige, die Schnell-
straße, und diese schon vor der Stadteinfahrt
dicht gesäumt mit Spalierstehenden, warum
aber sie alle in Uniform, Polizisten?, wobei uns
endlich einfiel: Es war doch der Tag, da der

deutsche Außenminister dem »Restjugosla-
wien« seinen Anerkennungsbesuch abstattete
und dabei wohl gerade auf seinem Weg zurück
von Podgorica/Montenegro nach Belgrad/
Serbien war. Wir verpaßten die Begegnung,
indem wir von der großen Durchzugsstraße,
gleich in der Stadt Valjevo, wieder wie im Winter, abbogen auf die Nebenstrecke, hinauf und
hinauf über den jetzt nicht verschneiten und
frühdunklen, sondern hellübergrünten Debelo
Brdo, den Dickberg, von dem aber auch heute
wieder die Kühle ins Auto strich (freilich nur
aus den Bachschluchten) und auch heute während fast des ganzen langen Aufstiegs Flok-
kenschwärme gegen die Frontscheiben stups-
ten – nur eben nicht von Schnee, sondern das
zerflockte, zerstobene Blütengewölle von den
bach- wie straßensäumenden Pappeln, der
Luftraum bis hoch hinauf davon durch-
schwirrt, die Fahrbahnränder davon weiß auf-
gebauscht und aufgedünt bis über die halbe
Strecke hinauf, von wo ab – bei fast nur noch
Kiefern- und Fichtenwuchs – das Gestöber
endlich abflaute.

Rast auf einer der Paß- und zugleich Almhöhen. Und an der Stelle der noch europaüblichen Rinder weideten hier die balkanischen, nein, die serbischen Schweine, weideten?, nein, fraßen – eher klein, gebirgsklein, und fast weiß, wie die allüberall zwischen den Grasmatten aufragenden, durchschlagenden dinarischen Kalksteinriffe. Und dort auf dem Ruheplatz, in der Einöde, bei den Winzigschweinen auch der junge Bursche, der am Rand der Weide sein gerade ausgepacktes Handtelefon ausprobierte, spürbar das erste solche Neuding auf dem gesamten Dicken Berge, und dann von allerseiten, wie aus den Fels- und Scheunenritzen andere Burschen zum Beäugen auftauchend, jeder ein Verlorener Sohn, aber noch lange vor der Heimkehr, und auch unbekümmert darum.

Endlich auf der Talfahrt die Drina tief unten, dort zwischen den serbischen und den bosnischen Bergen, klar sichtbar und nicht, wie seinerzeit in der Schneenacht, bloß ahnbar – aber genauso wie damals kam es von Žarko, auf seinem nun sommers wiederholten Weg bergab zu der Flußuferstadt, zu Tochter und einstiger Frau: »Dort unten liegt Bajina Bašta, und dort unten, das muß die Drina sein!«, das freilich nicht nur als ein Ausdruck des Jetzt und des Hier, sondern mehr noch als ein Zitat: Fast der gleiche Ausruf war von ihm ja auf unserer ersten Fahrt gekommen, oder so hatte ich ihn in meiner Erzählung davon festgehalten – und so, als der, der und der unterwegs, bewegten wir drei uns für Momente zugleich als Personen einer Geschichte durch dieses Serbien jetzt, als Figuren eines fast schon alten Spiels, was dabei aber keinesfalls Entwirklichung heißen mußte, weder des Augenblicks, noch der Gegenwart, noch unserer selbst.

Und bergab dann, talwärts, drinawärts das Wiederaufleben des Pappel- und Weidenflaumgestöbers, zu den nun weit geöffneten Fenstern herein und da und dort ein Nasenloch kitzelnd, und zuletzt auch die Ankunft, die vorabendliche, die vorsommerliche, in der Klein- und Grenzstadt Bajina Bašta bestimmend.

Dort vor den Hauptstraßenbars die europa-modischen, zelthaften Sonnenschirme, welche selbst spätnachts dann unter dem Sternenhimmel aufgespannt blieben – ein eher stickiges Sitzen da, wie eben überall in der neugeordneten europäischen Aller- und Nirgendswelt. Und wieder das Quartier im Hotel »Drina«, dem wie längstvertrauten – vielleicht auch deswegen, weil ich darüber geschrieben hatte? Und davor auf der Terrasse entsprechend die nächtliche Hinzukunft zweier weiterer Personen aus meiner und unserer Wintergeschichte: des »örtlichen Bibliothekars«, und »Olgas«, »Žarkos Jugendfreundin« (samt beider »Tochter«, welche freilich gleich wieder verschwunden war, denn anderntags würden die Schulabschlußprüfungen sein, und was sollte sie auch bei uns, in Gedanken mit James Dean oder dessen Doppelgänger?).

Und hier war es auch zum ersten Mal, daß ich, nach all den solchen und solchen Reaktionen auf meine Reisegeschichte, es mit dem Gedanken zu schaffen bekam, ich könnte durch mein Niederschreiben etwas Unrichtiges, Falsches, ja Unrechtes getan haben. Das galt weniger für die Reaktion des freundlich-scheuen Bibliothekars, welcher auf die Frage, wie er die winterliche Reise gelesen habe, zunächst und lange eher bedenklich dreinblickte, und endlich in einem, schien mir, leicht verletzten Ton sagte, erst einmal sei sein Berufstitel nicht, wie bei mir angegeben, »Bibliothekar«, sondern »Professor«, und zweitens treffe meine Schilderung, wonach er auf der Drinabrücke, auf unserem Weg hinüber ans bosnische Ufer, Angst gehabt habe, nicht zu! Auch der *guslar*, jener serbisch-homerische Heldenlied-Sänger, den ich einmal erwähnte, sei nicht gerade erfreut über meine Bezeichnung »drndar« für seinen Sprechgesang (»Geschmetter« hatte ich deutsch geschrieben, und konnte so die Verantwortung für das in der Tat etwas despektierliche »drndar« auf den Übersetzer an meiner Seite abschieben), und die Führung des Hotels »Drina« weise meine Passage von der mangelnden Heizung zurück, diese sei schon immer nachts abgestellt worden, Krieg und Serbien hin oder her, und der Vorstand des von mir beschriebenen Autobusbahnhofs wehre sich dagegen, diesen in meinem Text als »winzig« wiederzufinden, während es sich in Wahrheit doch um eine große, überregionale Station handle – und da erst, bei diesem Falschzitat, wurde klar, daß der Bibliothekar von Bajina Bašta uns all die Zeit bloß etwas vorscherzte und auf solche Weise zeigen wollte, wie stolz oder froh er war über sein und der kleinen Stadt Erscheinen »in der Literatur«.

Nein, daß mir bedenklich zumute wurde wegen meiner veröffentlichten Sätze, das kam dann eher von einer Bemerkung Olgas: Bei mir, so wandte sie ein, stehe, sie, »die Frau aus Bajina Bašta«, sei »überzeugt«, in Srebrenica seien die Muslim-Tausende von ihren Landsleuten, jenseits dort der Drina, umgebracht worden. Jedoch das habe sie so nicht gesagt, höchstens »ich glaube«, oder »es könnte sein«. Und daß sie den Fuß nie in die neuen »Kriegsgewinnlerbars« an der Hauptstraße setzen wolle – diesen ihren Ausspruch hätte ich nicht in meine Geschichte übernehmen sollen; denn jetzt habe sie bei jedem Vorbeigehen an einem dieser Lokale (sie wohnte ja eben an der Hauptstraße) die Angst, einer der Inhaber könne Wind bekommen haben von ihrem »Fluch«. Sie wendete sich mit solcher Kritik kaum an mich, den Verantwortlichen, den Verfasser, murmelte sie eher in sich hinein, oder beiseite in die Nacht, und gerade so traf sie mich; und ich dachte und denke, ich hätte die fraglichen Bemerkungen – zwar nicht abschwächen, und keinesfalls weglassen, aber die »satzaussagende« Person anderserzählen, »umerzählen«, ihr einen anderen Namen, einen anderen Wohnort geben sollen, im Sinn der Maxime: »Zur Wahrheit umstellen«.

Anders als im Winter war die Grenzstadt an der Drina jetzt kein Ziel, sondern Durchgangsort. Und so am folgenden Morgen die Weiterfahrt drinaaufwärts, Richtung Višegrad, hinüber nach Bosnien. Auf dem Weg ein kleiner Zwischenhalt in dem Dorf Perućac, zum Besuch bei Olgas Mutter, der »alten Partisanin« – die letzte Wiederholung auf dieser Reise; das Zusammensitzen nun aber, im Unterschied zum Winter, nicht in dem »Straßenwärterhäuschen«, sondern im Freien, hinten in dem Obstbaumgarten, an welchen sich, von den Lesern gleich angemerkt, keineswegs der von mir erwähnte »Kartoffelacker« anschloß, sondern Wiesenland bis zum Fuße des – eben nicht *Dicken Berges* (zweiter Fehler meinerseits), vielmehr des *Tara*-Gebirges, welches es für Višegrad zu überqueren galt – die Drina-Saumstraße brach hinter dem Dorf, an der Staumauer des Kraftwerks dort, ab.

Die vornehme Dame in dem dörflichen Apfelgarten, an der wie feiertäglich gedeckten Tafel, hielt ich zunächst für einen anderen Gast und erkannte dann erst unsere Bewirterin im Novemberschnee wieder, die Großmutter, die ehemalige Partisanin, die vor einem halben Jahr, in dem kleinen Haus drinnen, ein bäuerliches Kopftuch getragen hatte und Winterhausschuhe, und jetzt wie nur irgendwer barhäuptig ging, mit bronzefarbenem Haar, sehr aufrecht, mit befehlshaberisch zurückgelegten Schultern, wie eine Häuptlingin, an den Füßen Feinstlederschuhe: nicht nur der Unterschied der Jahreszeiten machte das, sondern vor allem der zwischen dem Hausinnern und hier dem Freien, welches so offenbar das dieser Frau eigene Element war. Und wieder der erztrübe Wein und die himmelaufweidenden Schafe und der walddunkle Honig (nein, das war woanders in Serbien . . .). Und in dem und jenem der paar anderen Kleinbauernhäuser am Bergfuß die Flüchtlinge von jenseits der Drina, von Sarajewo oder noch weiter, im Grasumland hier und da der Ansatz eines frischangelegten Gemüsegartens, wenn auch gerade bloß ein Ansatz, kleinstreifig, versuchsweise, zögernd, sichtlich auf nichteigenem Land, eben Flüchtlingsgärten (wie später allüberall in Bosnien).

Und nicht zu übersehen dabei, daß auf dieser serbischen Flußseite, nicht bloß bei uns im Garten unter den gerade erst fliegengroßen Äpfeln, die Szenerie nah am Unheimlichen heil erschien im Vergleich zu den bosnischen Wiesenhängen drüben, wo kaum ein Gehöft mehr sein Dach hatte und in der Regel nur noch die nackten Mauergevierte dastanden. Die immer wieder nassen Augen der Gastgeberin rührten freilich eher von dem mit jedem dritten oder vierten Atemzug frisch einsetzenden Gedenken an ihren Ehemann, der sich bald nach dem Ausbruch des letzten Krieges erschossen hat, hat?, nein, jetzt und jetzt vor ihren Augen aus dem, ihrem Leben geht.

Und während der kurzen Gartenstunden zwischen Tara-Gebirge und Drina bleiben dann in einem fort Passanten draußen am Zaun stehen, treten durchs Gatter, setzen sich an den langen Tisch – es beginnt hier das ländliche Wochenende, und so wird das im Garten der alten Frau weitergehen bis spät am Sonntagabend: Ingenieure vom Kraftwerk, Flüchtlingsnachbarn, Verwandte aus der Stadt, aus der Kleinstadt B. B. und aus der Großstadt B., Dorfkinder, Fernfahrer, und dazwischen jener Geologe, der erzählt und sich dabei seit jeher wundert, wie nah in der Luftlinie hier das Meer ist, die Adria, der *Jadran*, und wie doch ein Gebirgsmassiv nach dem andern, in die Nordsüdrichtung ziehend wie meist auch die Flüsse, den Weg dort nach Westen verlegt; kein Tal, das westwärts zum Mittelmeer führt,

und schon gar nicht schnurstracks und freiheraus, und wie solches Landschaftsphänomen – Barriere um Barriere vor der Meeresweite – ganz Bosnien und die ganze bosnische
Bewußtseinsgeschichte wohl mitbestimme. –
Und Višegrad, das beliebte Nahziel vor dem
Krieg, mit nur einem Bergrücken dazwischen?
Keiner war seither dort gewesen, auch nicht in
dem nun immerhin schon halbjahralten Frieden.

Auf langen schmalen Serpentinen dann, an
diesem Wochenendnachmittag, hinauf ins
Tara-Gebirge. Einmal ein verriegelter, dabei
ausgeleuchteter Stollen tief hinein in den Berg,
den bosnischen Hügeln gegenüber, ein Bunker? nein, eine Champignonzucht. In der Tiefe unten die Drina, die zwischen den serbischen und den bosnischen Steilhängen ziemlich geradewegs nach Norden fließt, und
Bajina Bašta dort schon sehr fern, ein helles
dichtes Gewürfel in einer der seltenen Ebenenbuchten, und Žarko, welcher, wie es sich
für einen Übersetzer gehört, meine kärntnerisch-österreichische Stammgegend kennt, be

merkt dazu nun, die beiden Landschaften wirkten ähnlich auf ihn. Ja, es stimmte: vergleichbar die innerkontinentale Einkesselung bei eher doch sanfter Gebirgigkeit allerseits, das von Wiesen- und Obstgartengrün rhythmisch unterbrochene und aufgehellte Nadelwalddunkel, und in solchen Lichtungen statt zusammengewachsener Dörfer höchstens Streusiedlungen und in der Regel Einzelgehöfte – nur daß der Fluß, die Drau, bei mir zu Hause ziemlich weit weg von allen Ansiedlungen floß und auch von einer Almenhöhe aus wie hier versteckt geblieben wäre in ihrem Trogtal.

Auch das Tara-Plateau oben dann hätte Teil der mitteleuropäischen Alpen sein können, mit seinen buckligen Kurzgrasflächen, der Fichten-, Kiefern- und Farnvordringlichkeit, und überhaupt Abgehobenheit von der brütenden, da und dort von einem Auto blinkenden Tälerwelt. Aussteigen und sich in die Büsche, in das Moos und zu den Pilzen schlagen. Aber nein, weiter und weiter gekurvt und endlich hinab jenseits der Tara und abgebogen von der kurz wieder breiten Straße bei dem Wegweiser »Višegrad«; und obwohl zuvor noch zwei Grenzstationen zu passieren wären, keine Zeichen davon. War das, nach einem langen, stockfinsteren, wassertropfenden Tunnel, schon Bosnien? Laut Zlatko, dem von seiner Militärzeit Jugoslawien-Erfahrenen, ja; denn der kleine drahthaarige Hund, der gleich an dem Tunnelausgang auf das Auto zuschoß und dieses regelrecht attackierte, mußte »schon ein bosnischer Hund sein – wenn so einer sich in Gang setzt, weicht er vor nichts mehr zurück!« –, und tatsächlich war es dann der Wagen, der auswich, mitten auf der Fahrbahn, in einem weiten Bogen, und noch einem: der Hund hielt nicht bloß stand, sondern stürmte auch gleich schon wieder fletschend auf das Räder- und Reifending los.

Dann aber, in der Schlucht, zunächst einmal die erste, die serbisch-serbische oder jugoslawische Grenzkontrolle. Danach, so meine zwei Nachbarn, jetzt beide gleich landeskundig, würde Bosnien sich ankündigen durch die Holzfeuer dichtauf an den Straßenrändern

und den zugehörigen Lamm- und Hammelge-
ruch. Nichts da: der einen Grenze folgte erst
einmal, weiter bergab in der Schlucht, ein Nie-
mandslandteil, so lang wie selten zwischen
zwei Staaten, und noch weniger befahren als
die ganze Vorstrecke, und der Duft, ins offene
Auto hinein, kam wieder nur von den gerade
in ganz Jugoslawien aufgeblühten Akazien,
deren Grün hier übergegangen in ein einziges
büscheliges Weiß.

Die zweite Grenzschranke endlich, mehr von
der Art einer Ackerwegsperre, und daneben
die Hütte der bosnisch-serbischen Grenzer,
eher ein Feldunterstand, und von der Seite in
die Straße auch wirklich ein Feldweg einmün-
dend, auf dem ein paar Kinder sich gerade
dem Grenzbalken näherten, mit frischge-
pflückten Wiesen- und Buschblumensträu-
ßen. Kalkfelsenhelle, Staubigkeit und Vor-
abendschwüle dort nah an dem Talgrund
(noch ein paar bosnische Meilen bis Višegrad
an der Drina). Und während wir Pässe und
Begleitschreiben hinhielten, baten die Kinder
am Grenzhaus um Wasser: Durst? Ja, großer.

Sie kamen zuerst dran, kehrten dann um in das Land, darin gleich wieder verschwunden; von diesem als erstes nur Strauch- und Steinwildnis. Die Grenzer, in der Dreizahl wie wir, unter einem weiten Western-Himmel, wie in Wyoming oder Oregon, winkten uns in ihre Hütte mit Pritsche und Telefon. Kein Lächeln, keine Miene verzogen, oder doch? Aus einer Art Müdigkeit? Keiner brauchte die Stimme zu heben, so still war es an dieser Grenze. Und keine Fragen über die Paßdaten hinaus, außer: »Vorname des Vaters? Vorname der Mutter?« Und zum Abschied dann die Bemerkung des jüngsten der Grenzer, des Offiziers, des jüngsten überhaupt von uns drei-und-drei: »Wie jung seht ihr aus. So jung möchte ich auch noch einmal aussehen.«

Später das erste Ortsschild nach der Grenze: »Dobrun«. Aber von dem Dorf gab es außer dem Namen fast allein noch die dach-, türen- und fensterstocklosen Hausmauern. Geplünderte Häuser? Die Häuser als Häuser, die Häuser als solche wirkten geplündert, und das erschien als etwas Schlimmeres als selbst eine noch so vollkommene Zerstörung; als sei durch eine derartige Weise des Plünderns jeweils nicht bloß ein einzelnes, dieses bestimmte Haus da vernichtet worden, sondern sozusagen das Haus an sich, das Haus »Haus«, das Wesen des Hauses (dieses wurde faßbar gerade in so einer Form der Vernichtung).

Und spätestens hier hörten wir drei Männer im Auto auf, unsere serbische Wintergeschichte frühsommerlich zu wiederholen; hörten überhaupt auf, die Personen einer bereits geschehenen und aufgeschriebenen Geschichte zu sein (was doch Erholung, Lust und vor allem Schutz sein konnte); und spätestens nach dem folgenden Abend, der Nacht und dem folgenden Tag in Višegrad schien es dann nötig, oder nützlich, zu unserer Wintergeschichte diesen Nachtrag oder Zusatz zu machen.

Wohl wir alle hatten Višegrad als eine richtige Stadt im Sinn gehabt, und wenn auch nur eine kleine, und so erwarteten wir uns dann, nach den noch und noch welt- oder eher wiederum westerntypischen Ortsrandbauten, die offensichtlich miteinander nicht das geringste zu schaffen hatten, endlich die Ankunft in so etwas wie einem Kern, etwa in Gestalt einer Bazarstraße oder eines süd- oder morgenländischen Korso. Doch dann, unvermutet bereits unten an der Drina, diese hier noch einmal so breit wie weiter flußab in Bajina Bašta, an der Schwelle zur weltberühmten Türkenbrücke – da war sie also, mit mehr Bögen als je in der Vorstellung –, bemerkten wir, daß diese bestaubten, zerbröckelnden Peripherieschuppen fast schon alles von Višegrad gewesen waren; die Häuserzeile jenseits des schnellen Flusses erschien noch weniger städtisch, eher Teil der dort landesüblich steil ansteigenden, zerklüfteten Erd-, Busch- und Steinwüstenei, gekreuzt von Vieh- oder Einzelgängerpfaden.

Obwohl die Stadt, eher das zusammenhanglose Häusernebeneinander, leer, geleert erschien, und das nicht nur des Samstagnachmittages wegen, bekamen wir in dem weitausladenden Hotel »Višegrad«, dort an dem rechten Drinaufer, unmittelbar an der Brücke,

nur mit Glück die drei letzten freien Zimmer;
in den andern hausten die *izbeglice*, die Flüchtlinge oder Neuzugezogenen oder Eingewiese-
nen, aus manchen Fenstern die Wäsche quel-
lend beinah wie aus einer gerade geöffneten
Waschmaschine. Die Leute selber fürs erste
unsichtbar; nicht einmal ein Kinderschreien
als Lebenszeichen, und wenn auch nur des
Verlassenseins; Lautlosigkeit durch die Flure
hin. Dabei waren doch, manchen Anzeichen
nach, nicht wenige Kinder hier einquartiert –
hatten die, selbst die Säuglinge (aber was hatten die zu saugen?), das Schreien verlernt?
Endlich auf einem Treppenabsatz eine alte
Frau, sich mit den Händen den Kopf stüt-
zend, oder die Ohren zustopfend, eine Haltung, die uns in den folgenden Tagen noch
öfter begegnen sollte, als die für Bosnien jetzt
gleichsam typische, von noch so Alt bis Blut-
jung. Und mein fast schon üblicher, im weiteren Reiseverlauf sich noch verstärkender Un-
wille, als nun einer der Freunde sich bei der
Greisin nach dem Woher und voraussichtli-
chen Wohin erkundigte: nur kein Ausfragen,
nur kein Datenerforschen, nur kein Sich-Hin-

eindrängen in etwas, was ohnedies und offenbar zum Himmel oder sonstwohin stieg. Und nahm dann doch ein jedes Mal fast begierig teil an einer Antwort, fand mich von einer solchen, selbst mit den grausigsten Einzelheiten begleiteten, beruhigt und manchmal geradezu begütigt, und war in der Regel von uns drei Reisenden derjenige, welcher am Ende alles Fragen übernahm – und dachte danach doch wieder, daß allein die Stummheit, die wortlosen Haltungen und die stummen Dinge, das Beiwerk, zu uns hätten sprechen sollen (so wie zum Beispiel dort in dem Hotel »Višegrad« jene Holzkisten von einem Etagenabsatz zum nächsten, vormals, vor dem Krieg, gewiß für die Blumen da, jetzt aber nur noch gefüllt mit zu Schutt gewordener Erde, trokken und zugleich so festgeklumpt, daß da nicht das geringste Wachstum mehr vorstellbar war).

Jeder von uns blieb bis zum Abend für sich. Ich zum Beispiel stieg einen der Hügel der schrundigen und ausgewaschenen Višegrader Gegend hinauf, als Ziel die serbisch-ortho-

doxe Kirche, neben der viereinhalbjahrhun-
dertealten Brücke das einzige Gebäude weit
und breit, auf welches sich so etwas wie ein
Augenmerk richten konnte (die weltberühmte
Brücke wollte ich zunächst, für den heutigen
Tag, möglichst in Ruhe lassen, und oben von
der Kirchenhöhe war sie dann nicht einmal im
Bild, so wie überhaupt zwischen diesen bosnischen Bergen oft ein paar Seitwärtsschritte
zu genügen schienen, und ganze Landstriche,
samt Weilern, Flüssen usw. verschwanden,
und völlig neue, mit anderen Wasserläufen,
oder auch mohammedanischen Friedhöfen
statt den eben noch sichtbaren christlichen,
taten sich auf).

Die Kirchentür geschlossen; doch da ange-
heftet ein Zettel mit der Ankündigung der
morgigen Sonntagsmesse: ein Vorhaben in der
allgemeinen Reglosigkeit hier und Verriegelt-
heit, eine Perspektive! Die Kirche mit Zwie-
belturm, aus der Zeit Višegrads unter den
habsburgischen Österreichern, gegen Ende
des neunzehnten Jahrhunderts. Und gleich
unterhalb in dem Wiesenhang der steinmetz-

schliffneue Krieger- oder, die vielleicht richti-
gere Übersetzung des »borac«, *Kämpfer*-Fried-
hof, ein gutes Hundert, und mehr, mächtiger
schwarzglatter Vierkantsteine, wie tags darauf
zu erfahren importiert aus Schweden, via Italien (warum aber den Marmor, oder war das
polierter Basalt?, nicht gleich von dort? weil es
in Italien nur den hellen Marmor gab?). Und
auf jeder der Stelen das lebensgroße Porträt
des oder der Dahingegangenen, in der Regel
in Uniform und schwer unter Waffen, und
zum Namen eben der Zusatz: »Srpski borac«,
Serbischer Kämpfer. Weitaus die meisten von
ihnen gefallen im Jahr 1992, dem ersten bosnischen Kriegsjahr. Und auf den Rückseiten
der Grabmäler wieder die eingravierten Kon-
terfeis, hier eher Ganzgestalten, aber auch die
fast in Lebensgröße, frei nach Photographien
aus der Zivil- und Friedenszeit, der eine künf-
tige Kämpfer etwa mit weißen Turnschuhen
inmitten eines Blumenteppichs, der andere
sitzend auf der *Kapija*, jener ausladenden Stelle
auf der Drinabrücke, nicht nur laut Ivo Andrić
dem Jugendtreffpunkt hier durch die Jahrhunderte, der dritte mit seiner weitestgezogenen

Ziehharmonika... Immer noch die Vor-
abendschwüle, und keine lebende Seele auf
dem schwarz in schwarz gestaffelten Toten-
acker. Und in dem Blick hinab auf die Stadt
auch keine Spur mehr von jenen Minaretts,
gesehen doch in einem 1989 in Belgrad her-
ausgegebenen Band zum Leben von Andrić
(auf einem der Bilder, aus dem letzten Jahrhundert, hatte ich deren zwei gezählt – der
Kirchturm der Orthodoxen hier schien noch
nicht gebaut –, und auf einem anderen, viel
jüngeren – zuletzt hatte Višegrad ja eine mus-
limische Mehrheit – waren es schon zumindest sechs gewesen, oder handelte es sich bei
einer dieser Spitzen um einen Fabrikschlot?
wenn, dann gab es aber jetzt nach dem Krieg
offensichtlich auch den nicht mehr).

Der Abend endlich wieder zu dritt auf der
Fluß- und Gasthausterrasse, bei zunächst
noch klar hörbarem Wassergurgeln der Drina
und vordringlich dem beständigen Aufrauschen zwischen dem Fastdutzend der Brük-
kenpfeiler – Geräusche und Klänge, welche
bald völlig verschwanden in der noch wie alt-

jugoslawischen Musik einer Hotelband, dort auf der betonierten Freilufttribüne, so laut, daß sie, samt Nachkoppelung, nicht allein den Ohren wehtat, und das dann bis nach Mitternacht. »Das *muß* so laut sein, das ist serbisch, die Serben sind so!« (Das sagte fast stolz einmal Zlatko, der eine Serbe am Tisch, worauf Žarko, der andere Serbe, bloß mit einer wieder typisch serbischen Geste die Hand hinter sich in die zunehmend kühle Nacht warf.)

Der Gastgarten, großräumig wie ein Parkplatz, unter dem Laubdach, füllte sich unversehens, samstagabendlich. Eigentümlich stille, oder auch nur wortkarge oder mundfaule, weißhemdige und weißblusige Menschenkinder, von denen in dem Musikkrach und dem Geschmetter der frechgesichtigen, eben typisch serbischen Sängerin ohnedies keiner sein eigenes Wort verstanden hätte. Kein Tisch auch, an dem all die folgenden Stunden, wiewohl doch gedeckt war, etwas, und sei es nur ein Stück Brot, gegessen wurde; und auch niemand, der tanzte (oder habe ich die Tanzenden, den Tanz der Flüchtlinge mit den

Einheimischen, nur nicht wahrgenommen?).
Und auf der lichterlosen und unbeleuchteten,
grau schemenhaft – im übrigen so nicht unähnlich dem nächtlichen Schloß von Versailles
– durch die Finsternis ziehenden weltberühmten Brücke nicht einmal ein Ansatz zu einem
abendlichen Auf-und-Ab-Korso, höchstens
vereinzelte Spätheim(?)kehrer.

Tiefnachts dann noch das Stehen am offenen
Fenster in dem »Hotel Višegrad«-Zimmer.
Kein Mucks mehr aus der Stadt im Rücken,
auch die wuchtige, aus dem Dunkeln glim-
mende Brücke inzwischen vollends entvöl-
kert, unter den schon sommerlichen, südlich
hellen, dabei wie unzugehörigen, mit der Erd-
gegend darunter durch nichts mehr verbunde-
nen Sternen, und das Durchkreuztwerden
dieses Bilds jetzt von dem Bedenken der Berichte über die Tötungen in der hiesigen Mus-
limgemeinde vor ziemlich genau vier Jahren:
Viele von den Opfern, so Augenzeugen (gerade aus einem Hotelzimmer wie dem meinen
hier), dort drüben von der Brückenbrüstung
gestoßen, und das alles auf Geheiß eines jun-

gen serbischen Milizenführers; mir dazu im Gedächtnis insbesondere ein Artikel aus der *New York Times*, gespickt mit Aussage um Aussage gegen diesen inzwischen entschwundenen Mann, der – sein Hauptmerkmal – »oft barfuß ging« in der von ihm »Die Wölfe« genannten Paramilitärtruppe, und unter den sonst, wie üblich, ausschließlich muslimischen Belastungszeugen auch, wieder wie üblich, jener einzelne Serbe, ein Soldat hier aus der Stadt, in Gefangenschaft geraten und dort verhört von einem UN-Polizisten, später aber, so hieß es, ausgetauscht und ebenfalls verschwunden (fast sicher »zu seinem Verderben« schrieb die Zeitung). Und ich konnte nun nicht umhin, mich zu fragen, wieso in diesem Krieg immer wieder gerade die möglichen Hauptzeugen der Greuel, wie es schien, ohne weiteres zum Austausch freigegeben worden waren, ein Faktum, das in fast jedem solcher Berichte vorkam, und ein jedesmal ganz unbezweifelt weitergegeben: Wenn dieser und dieser Zeuge so Schlimmes, so Bloßstellendes wußte – warum ihn dann austauschen und gehen lassen? Und warum tat der erwähnte Artikel, als habe jene serbisch-bosnische Wolfsbande hier im Višegrad von 1992 völlig freie Hand zu ihrem monatelangen Wüten gehabt? die ganze Stadt ein grausiger Spielraum für nichts als die paar Barfüßler im Katz-und-Maus mit ihren Hunderten von Opfern? (Die serbisch-serbische Armee, wie wiederum reportsüblich, schaute von jenseits der Grenze untätig zu, wenn sie nicht, wie noch reportsnotorischer, überhaupt mittat.) War damals nicht der Bürgerkrieg ausgebrochen gewesen, mit gegenseitigen Kämpfen fast überall in Bosnien? Wie konnte solch freihändiger Terror sich austoben gegenüber einer mehrheitlich muslimischen, für den Krieg längst schon gut gerüsteten, überdies noch die Obrigkeit stellenden Bevölkerung? Das Ivo-Andrić-Denkmal dort an dem Brükkenzugang, war es nicht schon im Jahr vor dem Kriegsausbruch weggesprengt worden, als Signal dafür, und von wem? Bemerkenswert doch, wie es den über die Meere angereisten, eingeflogenen Aussagensammlern beinah durch die Bank nur und ausschließlich um ihre Story, ihren Scoop, ihr Beutemachen, ihr Verkaufbares ging (was fürs erste ja auch gar nicht zu verachten war) – »witnesses said«, »survivors said«, das Absatz um Absatz, gleichsam die Echtheitsstempel –, doch kaum je um einen Zusammenhang, eine weiterführende, auf ein Problem sich einlassende Erklärungs- und Aufklärungsarbeit, und schon gar nicht, jedenfalls bereits längst nicht mehr, auch nicht in den einst ernsthaften »Weltblättern«, um die für Bosnien und Jugoslawien besonders bezeichnende Vor-Geschichte, Vorgeschichte um Vorgeschichte – ein Problem-Darstellen, welches in einem grundanderen Sinn zu Herzen ginge als etwa der miesliterarische Schlußabsatz (ganz und gar nicht zu Herzen gehend, sondern auf dieses eben bloß nackt schamlos *abzielend*) des nach Višegrad hinter die bosnischen Berge geheuerten Manhattan-Journalisten, worin er eine aus ihrer Stadt geflüchtete Zeugin, nächtens dabeigewesen beim Hinabgestoßenwerden von Mutter und Schwester von der Brücke, Tennessee-Williams-haft sagen läßt: »The bridge. The bridge. The bridge . . .«

Maisonntagmorgen dann, mit schon einzelnen Anglern drüben am linken Drina-Ufer, zwischen dem Gestrüpp in der sofort prallen Sonne, und die Erinnerung an einen anderen Kriegszeitbericht hier aus Višegrad, keines Journalisten, der den Schriftsteller spielt, am liebsten einen zweiten Albert Camus, sondern eines x-beliebigen Reisenden, weniger auf das Indiziensuchen, Geschichtenaufspüren oder -machen aus in seinem Aufschreiben als vielmehr auf ein Auffächern von erst einmal unverdächtigen, auch unverdächtigten Einzelerscheinungen, auf ein Zwischenraumschaffen – und so auch in keiner Zeitung veröffentlicht, nur diesem und jenem Privaten geschickt: Wo ein solcher Drinafischer aus Višegrad, beinamputiert, seine Angel nur hoch oben von der Brücke auswerfen kann – denn unten an der Böschung könnte er sich dabei nicht recht abstützen – und deshalb, als Invalide doch auf die Fische angewiesen, auch weitaus weniger Fangchancen hat.

Und dann bin endlich auch ich über die Brücke des Mehmed-Pascha gegangen, des Stambuler Mächtigen und Sprößlings der Gegend hier, an der unschön hohen Gründungsstele in der Brückenmitte vorbei, mausoleumswandhaft, mit der osmanischen Inschrift, und danach, dort am sonst leeren anderen Ufer, an der Menschenansammlung, reglos an einem durch nichts besonderen Straßenplatz vor dem Felsabfall; die Wartenden für den Frühmorgenbus, aber wohin nur? Denn das einmal nahe Goražde, flußauf, die einzige andere Stadt der Umgebung, war inzwischen doch Feindesland? (Noch lag die umgestürzte Andrić-Statue drüben gleich neben der Brückenschwelle, samt abgefallenem Kopf, ein neues, wie identisches Denkmal freilich aufgestellt einen Zollbreit daneben.)

Mehr noch als die Brückenüberquerung hatte ich freilich das Bergansteigen auf den Wildnispfaden jenseits im Sinn gehabt, eingedenk eines kurzen Textes des eben erwähnten Višegrader Autors, einer Kindheitsbeschwörung, dergemäß es weder die quer durch die Kontinente besungene noch die schichten- und geschichtensatte islamisch-orthodox-ka-

tholisch-jüdische Drinasiedlung war, welche
dem altgewordenen Schreiber die Welt bedeutete, sondern zuerst und zuletzt diese
staubigen Bergaufpfade seitab in der Wildnis-
Welt; Weltweite dort; und von dort auch die
Weltliebe. Die Steige sollen bis vor kurzem
noch vermint gewesen sein, waren jetzt aber
wohl frei (nur keine Spannungsmache), und
so stieg und rutschte ich dort dann die gehö-
rige Zeit auf- und abwärts, zwischen jenem
ärmlichen Bewuchs, der in einem anderen,
ebenso kurzen Erinnerungstext des örtlichen
Autors, des innerbosnischen Meersehnsücht-
lings, »Namenlos« heißt; denn erst hinter den
sieben oder mehr oder weniger Bergzügen
westwärts, in Dubrovnik- und Adria-Nähe,
geht dieses Pflanzenzeugs für ihn über in
Wesen mit Namen wie »Palme« und »Rosma-
rin«.

In einer der Bachklüfte an der Drina dann jene
Häuserzeile der linksufrigen Višegrader Vor-
orte, mit den da herausgeschlagenen Lücken,
die einstigen Behausungen: wo nicht ganz ein-
geebnet, mit Plastikplanen überdacht und be-

fenstert, Behelfsräume für die »Neuzugezogenen«, hier vor allem aus den einst serbischen Sarajewo-Bezirken, und die Erdgärten davor wieder zaghaft, wie nur für eine Jahreszeit, angelegt, wie von Wanderarbeitern – der Gruß draußen vom Bachweg hinauf durch die Planenritzen aber dann erwidert von da schon halb Eingewöhnten – mag auch sein, weil heute Sonntag ist?

Bei dem ersten blechernen Glockenrufen vom Kirchenhügel drüben, hoch über dem Hauptufer, in der aufkommenden Schwüle dann noch kurzentschlossen an einer Dickichtstelle die Drina-Böschung hinab und auch schon bis zum Kinn – kein Wasser, siehe die Wasserleichengeschichten, in den Mund kommen lassen! – in die schnellen kalten Wellen getaucht. Die elf Brückenbögen dabei in die Ferne rückend, eine seltsam greifbare; und die Elf auf den ersten Blick als Zahl wahrgenommen, in die Augen springend, ungerade, gerade. Zurück oben auf dem Uferweg dann ein Flüchtling, aus dem Barackenlager flußauf, halb noch ein Kind, offenbar ziellos, ausspuk-

kend, vor mir? Auf diesem Weg noch mehrere
»solche« gehend, ein jeder für sich. Und an der
Felshangstelle ein Schock neuer Buswarten-
der, für welches Ziel? Nicht fragen. Und zurück auf der Brücke wieder das Blechglocken-
geläute. Aber warum stieg dann mit mir kein
anderer Kirchgänger den Wiesen- und Obst-
baumhang hinauf? (Niemand da zum Fragen.)

Eingetreten auf der Hügelkuppe durch das an-
scheinend lang schon offene Tor in das ortho-
doxe Gotteshaus. Das von außen eher klein
wirkende Bauwerk drinnen, wie schon von
dem russischen Kirchlein in meinem Pariser
Vorort gewohnt, erstaunlich weiträumig, trotz
der Ikonentrennwand vor dem Priesterabteil.
Allein mit dem in seine Meßvorkehrungen
vertieften Geistlichen und seinem Helfer,
fühlte ich mich als ein Eindringling und zog
mich zurück ins Freie: der Gefallenenfriedhof
dort unterhalb der Kirche, umstanden von ge-
treidehohem   Sommergras,   inzwischen
schwarz nicht mehr nur von den ineinander-
geschachtelten Grabsteinquadern, sondern

zusätzlich von den Besuchern, zunächst beinah nur Frauen, ältere, kauernd vor und hinter
den Stelen, mit diesen in einer bewegten Einheit. Sie wischten so und polierten mit
Schwämmen und Tüchern die Grabstätten ihrer Angehörigen, gründlich und gewissenhaft
wie nur je in einem Haushalt; und säuberten
daneben aber die Ritz- oder Ätzbilder mit
einer von Hause aus wohl eher ungewohnten
Zartheit, zwischendurch auch Wucht.

Und jetzt das Anheben des Lieds oder Gebets
oder Anrufs oder einfach nur Weinens von
einer einzelnen, hinter dem Grab ihres Sohns
auf den Fersen hockenden und während alledem den ohnedies längst schon saubereren Sokkel weiter und weiter säubernden Mutter, oder
Großmutter?: Ganz und gar nicht jenes Plärren, Kreischen, Gejaule und Geheul, das sich
unsereiner vielleicht von südlichen »Klageweibern« vorstellt, vielmehr der von nichts als
dem Schmerz hervorgebrachte, und geleitete,
und betonte, und beherrschte Totenbahrenmonolog; an niemanden gerichtet, auch nicht
an den dabei doch angeredeten, angesunge-

nen Leichnam; fast lautlos, ohne leise oder lispelig zu sein; geradewegs der Brust entrungen, aber um nichts mehr – kein Zutun und kein Nachdruck, ein jeder Ton und eine jede Silbe bloß so über die Lippen tretend, und kein Hauch darüber hinaus; keine Willkür und nichts Gewolltes, allein die Artikulation der ohne Kehlenanstrengung oder »Lauthalsigkeit« die Trauer, nein, den Verlustschmerz aus sich herausatmenden und zwischenzeitig auch -wimmernden Menschkreatur; und so, begünstigt vielleicht von der sonstigen Sonntag-Morgenstille, ganz anders sich in die Lüfte erhebend und diese erfüllend als je eine Arie, selbst jene nicht, wo Mann und Frau an den Himmel reichen; einer der seltenen Momente auch, da ich dort in Višegrad mit dem Ivo Andrić nicht einsehen konnte, welcher in der *Brücke über die Drina* solche in seiner Gegend durch die Jahrhunderte sich wiederholenden Laute als eine Art Verliebtsein der jeweiligen Trauernden in den eigenen Schmerz beschrieben hat. So habe ich das nicht gehört; so etwas war da jetzt nicht mitzuhören. Und muß hier dazugesagt werden, daß jenes Totenklagen dort auf dem serbisch-orthodoxen Friedhof das sicher ganz gleiche, nur verschieden sich äußernde Weh woanders natürlich miteinschloß?

Der Gottesdienst endlich: trotz der unversehens gedrängt vollen Kirche eigentümlich in sich gekehrt, ohne je ein rechtes Unisono, und ohne jenen sozusagen slawischen Brustton, welchen ich selbst in dem entlegenen Pariser Vorort von dem einen und anderen der schon ziemlich verhutzelten russischen Emigranten und auch deren Nachkommen, unter dem blauen Turmzwiebelchen, gewohnt war. Kam das von dem Weiterwirken der vormaligen Minderheiten-Religion in dieser vor wenigen Jahren noch mehr vom muslimischen Imam bestimmten Kleinstadt? Oder war solche Insichgekehrtheit überhaupt seit je ein Merkmal des orthodoxen Serbentums, das nie auf Seelenfang bei anderen Völkern aus gewesen war, im Gegensatz etwa auch zu dem kroatischen Katholizismus, siehe die vieltausende von diesem im Zweiten Weltkrieg vorgenommenen Zwangsbekehrungen (wenn nicht Tötungen) an den land- und staatseigenen Serben?

Später an diesem Višegrader Morgen dann die Erfahrung: Wenn in diesem inzwischen rein serbischen Ort überhaupt noch etwas wie ein Gemeindeleben stattfand, trotz all dem Gedränge und doch Stillehalten während der Sonntagsmesse – sogar meine Gefährten aus dem Hotel stellten sich dazu ein, der eine, Zlatko, zum ersten Mal seit seiner ostserbischen Dorfkindheit in Porodin nah dem Fluß Morawa, der andere, Žarko, Sohn eines titokommunistischen Parteifunktionärs, überhaupt ganz zum ersten Mal –, so eher erst nach dem Gottesdienst, dort auf dem Gräberfeld. Es war fast schon Mittag, die Messe hatte lange gedauert, zum Zeitpunkt des orthodoxen Evangeliums wäre bei den heutigen Katholiken der Entlassungssegen mit dem »Ite, missa est« gekommen, und das Weinen bei den Gedenksteinen erklang jetzt vielstimmig, wenn auch jede Frauenstimme, von Stein zu Stein, voneinander abgesetzt. Schwämme und Tücher zwischendurch, statt zum Wischen der

Grabflächen, für die Augen benutzt. Und jetzt auch zahlreiche jüngere, sogar sehr junge Frauen darunter, Witwen der Kämpfer? Schwestern?, und in der Folge mehr und mehr Männer, die Väter und Brüder, und zudem Außenstehende (außen?), Veteranen aus den vorigen Kriegen, der Friedhof von deren meist weißen Hemden sowie den Turnschuhen und Blousons der Jüngeren zunehmend aufgehellt. Die schmalen, lehnenlosen Bänke nun hier und dort sichtbar werdend mit den dichtgedrängt da Sitzenden. Tabletts mit Flaschen von Eigenbrandschnaps wurden herumgereicht, dazu fingerhutwinzige Gläser, und als Zutat, wie bereits zuvor für die Meßbesucher, feinst zugeschnittene Stücke von Gurken, Tomaten, rohem Schinken, auch Kajmak-Käse, aus Butterrahm. Allgemeines Weinen (zunehmend lautlos, ein Schluchzen oder Wimmern nur noch ganz vereinzelt), Gräberpolieren, Einander-Zutrinken, Kauen, Beiseitegehen, Zurückkehren, Weiterweinen.

Und schon sind meine beiden Kumpane, diese Auslandsserben, mitten unter den Leidtragenden, und ich sehe sie ihre Fragen stellen. Ah, diese Fragerei! Und schon sehe ich sie mit den Šljivovica-Gläschen beim vertraulichtuenden Anstoßen mit den Višegrader Eingeborenen, und schon bin ich dazugewinkt, und schon mache ich beim Zutrinken und dann auch bei den Fragereien mit.

Doch im Grund ist ja ein Fragen gar nicht nötig gewesen. Der Argwohn dieser Serben im ländlichen Bosnien vor uns Fremden und Ausländern ist so stark wie dabei kinderleicht zu überwinden. Zu überwinden? Nein, er fällt schlicht von ihnen ab in dem Augenblick, da wieder sichtbar wird, daß hier einer – wenn schon nicht mit eigens gutem, so doch wenigstens nicht mit kalt bösem Willen in ihre Gegend gekommen ist, wie von den ohnedies gar spärlichen Dahergereisten der letzten Jahre ja fast alle; oder: einfach einer ohne vorgefaßte, vorausgewußte Hinter-Gedanken; einer, der nicht bei einem jeden Wort, das sie sagen werden, sich insgeheim dazudenkt, was er dann später für seine Indizienkette aufnotieren wird: »Aha, da lügen sie wieder. Aha, da reden sie sich heraus. Aha, das bilden sie sich jetzt wieder ein. Aha, da kommen sie mit ihrem serbisch-bosnischen Wahn!«; oder bloß: »Aha, da haben sie wieder einmal unsere westlichen Stichproben-Recherchen nicht gelesen, sind sie schlecht informiert.« Warum dagegen, fürs erste und vielleicht auch fürs weitere, nicht bloßer Zeuge sein, in einem anderen Sinn als dem des doch gegen alle die Kriegsparteien anwendbaren »The witness said«, sondern stumm, für einmal wenigstens stumm, stiller Zeuge sein dieses so augenfällig wie handgreiflich allgegenwärtigen, alle im Land umfassenden, und insbesondere so vordringlichen, aus sämtlichen Körperzellen dringenden, für ein Verstehen auch vor*rangigen* Schmerzes?

Schwellen-Moment, des Zweifels und des Mißtrauens der Ortsansässigen, rund um jene eine, gar noch nicht alte Gefallenenmutter, als diese sich von ihrem Grabstein-Haushalt mit ihrem Klagen an die Ortsfremden wendet und ihre Angehörigen ihr da gleichsam in den Arm fallen mit einem »Laß – die verstehen doch nichts von uns hier!«, und wie die Frau, Auge in Auge mit den Ausländern, sie unwillkürlich prüfend, im nächsten Moment schon ausruft: »Nein, sie verstehen, sie verstehen!«

Und so, augenblicks, das Gegenstandsloswerden der Abwehr: von da an wird aus sämtlichen Ecken des Višegrader Friedhofes auf uns eingeredet, -erzählt, -beschworen, -geschimpft, -informiert (mit zwischendurch ganz anderen Informationen als den uns anderwärts eingebläuten), ungefähr, nur angedeutet, so: »Immer sind mir die Deutschen hier willkommen gewesen, zwischen den Weltkriegen, und sogar dann danach, und jetzt sind sie unsere bösesten Feinde, ein so kleines Volk sind wir, und die ganze Welt [Fingerzeig zum Himmel, die »Welt« dort als NATO-Bombengeschwader] gegen uns – sagt Deutschland, daß es sich schämen soll! Keine Freude wird es je mehr für uns geben, kein Feiern, kein Fest. Der einzige Ort, an dem wir überhaupt noch miteinander zusammenkommen, ist der Friedhof, und es gibt noch mehr solche Friedhöfe um Višegrad. Die Kirche, der Kirchgang, ja, aber nur formhalber, die Religion ist tot, das einzige Leben, das einzige Gemeinschaftsleben findet statt auf unseren Friedhöfen. Der Sport, na ja: Die besten Spieler sind tot, im Fußball wie auch im Basketball – eine sehr gute Basketballmannschaft hatten wir vor dem Krieg! Die Machthaber drüben in Belgrad haben uns verraten, aber was sollten sie anders tun, kleine Völker wie das unsrige können sich längst nicht mehr selbstbestimmen. Und wer bestimmt sie? Bestimmt? Wer hat sie in der Hand? In der Faust? Unter dem Daumen? Und nach solch einer Macht und Willkür, und nicht nach dem Recht geht es jetzt auch zu bei der von den Übermächtigen eingesetzten Justiz. Prozesse, ja!, aber dann gegen Leute aus allen drei Kriegsvölkern gleichzeitig, und nicht zuerst gegen einen Serben – die Aufmerksamkeit der Welt ist ganz anders stark für so einen Angeklagten, der dazu noch der erste ist, und das wird das Bild prägen und die Geschichte weiter verbiegen! Nicht nur einmal im Leben bin ich Erschießungen entkommen, den Nazis, den Ustascha, bald achtzig bin ich, und zuletzt werde ich mich selbst umbringen [Schlag des alten

Mannes, eines Veteranen, mit der Faust gegen die eigene Stirn, so hart, daß er davon rückwärts taumelt]. Nur als Toter werde ich von hier weichen. Nie mehr mit den Muslimen leben, obwohl ich, natürlich, unter ihnen Freunde hatte.« [So beiläufig kam dieser Nebensatz von einem jungen Sprecher, daß sich erst jetzt im Aufschreiben die Überlegung einstellt, ob er das mit dem »Nie mehr« denn in der Tat so meinte, hatte er in der Gegenwart doch offenbar keinen einzigen Freund mehr: beim nächsten Mal, im richtigen Moment, nachfragen! Denn dem Satz war nicht recht zu glauben.]

Nachhaltiger als das Gesagte freilich die Art und Weise, wie diese Menschen uns Ortsfremden entgegenkamen: im Durcheinander, lang zurückgedrängt, aufgeregt, befreit; arglos, kindsköpfig, die Worte wie endlich herausgeschrien – mehr noch aus einer Isolierstation als aus einem Reservat. Und kein Ton des Hasses gegen die westliche Welt dabei, höchstens ein gewisser Zorn, und wenn ein Volkszorn, so (vielleicht auch deswegen, weil er endlich einmal seinen Ausdruck fand) ein geradezu fröhlicher oder belustigter, und zugleich ein trauriger, gelassener (ja, so etwas gab es), ein spielerischer: ein Volkszorn mit fast nur Einzelspielern.

Und wie brauchten diese, diese vereinzelten bosnischen Serben, uns Zuhörer! Der und jener von uns hier, so dachte ich später, sollte noch und noch sich dorthin auf den Weg machen und erst einmal nichts tun als ihnen zuhören.

Und noch etwas ging mir im nachhinein auf, schon weit weg von Višegrad und Bosnien, in Gedanken an das Wehklagen, nicht nur der Mütter, dort hinter den sieben mal sieben Bergen: daß die Beweinten eben nicht ganz lang schon tot und dahin waren, sondern für die Angehörigen und Betroffenen gerade erst starben, Augenblick für Augenblick, jetzt, und jetzt, und jetzt, und so weiter. Das Sterben ereignete sich dort auf den Friedhöfen in einem fort. Es gab und galt dazu nicht unser, unser? Begriff, Begriff?, oder Begreifen, von Vergangenheit, nicht einmal, was das Sterben in dem Bosnien vor über fünfzig Jahren, im Zweiten Weltkrieg, betraf, seinerzeit. Seinerzeit? Für die Hinterbliebenen geschah das jetzt und jetzt. Und nötig vielleicht wieder, hinzuzufügen, daß solch ein anderer Zeitsinn mir nicht bloß als eine Auswirkung des besonderen slawischen oder serbischen Totenkults erschien – er war zu ahnen ebenso und genauso bei den anderen Betroffenen dort, mochte ein Hörensagen auch gehen, für die Muslime etwa seien deren Totenstätten keine Besuchsorte: ich traute solchem Hörensagen nicht.

An jenem Nachmittag noch als Zuschauer beim sonntäglichen Fußballmatch, auf einer erhöhten Terrasse schon ziemlich außerhalb des kleinen Višegrad; ein Spiel der zweiten bosnoserbischen Liga, gegen die Mannschaft von Trebinje nah der Adria, in den Bergen oberhalb von Dubrovnik. Der Bus mit den dortigen Spielern hatte, durch das Umfahrenmüssen der Enklave von Goražde, statt der drei vorkriegsüblichen Stunden im früheren Bosnien-Herzegowina, sieben Stunden gebraucht. Müdes Kicken in der Schwüle, und so hatten die Augen Zeit, den Višegrader Hügelkreis abzugehen – während, wie wohl überall in Europa bei dergleichen bescheidenen Spielen, einer der Zuschauer platzbeschallend den Anfeuerer, Schimpf- und Witzbold gab und die Mitzuschauer, auch das wie allerwärts, mehr an seinen Sprüchen teilnahmen als an den Geschehnissen unten auf dem Rasen (ja, selbst in diesem kriegsversehrten Bosnien leuchtete noch etwas wie ein Rasengrün). An einem der steilen Hügelhänge die weißen, pfahlförmigen Grabsteine eines muslimischen Friedhofs, und dann der Eindruck, dort bewege sich eine Frauengestalt bergauf, ein Tschadortuch um den Kopf gewickelt. War das ein Tagtraum? Aber gab es nicht tatsächlich noch einige »Mohammedanerinnen« in Višegrad, verheiratet in »Mischehe« mit einem »Orthodoxen«? Und in der Folge gesellte sich unversehens ein früherer Ortsbewohner zu dem Publikum auf die Betonränge, einen Fez auf dem Scheitel, begrüßt allseits mit Hallo! Nein, das war jetzt eindeutig eine Luftspiegelung . . .

Und eine Frage habe ich dann doch noch gestellt: die nach der Zerstörung der beiden örtlichen Moscheen. Antwort: Es habe so sein müssen. In der einen seien die großen Waffen gelagert gewesen, in der andern die Munition. Bei der üblichen Leere der Moscheen schien das so unmöglich nicht. Und trotzdem... Wie es in dem schon erwähnten, nicht-journalistischen Lagebericht von dem Višegrad vor zwei Jahren hieß: die Ortsbewohner schienen bei all ihrer Offenheit noch ein Geheimnis zu haben, und ein für niemanden schönes.

Doch es war wohl nicht nur deswegen, daß der letzte Eindruck vor der Abfahrt aus der Stadt einer der Sackgassenhaftigkeit war, der Ziellosigkeit, des Nicht-wissens-wohin, lastend, schwermütig, nah am Gewaltausbruch – auch der Sonntagvorabend trug dazu bei, wieder wie allseits in Europa, und vielleicht nicht nur da.

In diesem Vorabendlicht nun zurück über die Grenze nach Serbien, hinauf und hinauf ins Tara-Gebirge, und dort an den in der ganzen Botanikerwelt so genannten »Serbischen Fichten« vorbei, den Eiszeitüberlebenden, den urtümlich schmalen und kliffhohen, und dazu der Pilzgeruch aus den Plateauwäldern, und danach, schon in der tiefen Sonntagsdämmerung, auf Kurven und Kurven hinab und hinab wieder nach Bajina Bašta, jetzt ein kaum beschreiblicher Gegensatz zu der bosnischen Nachbarstadt vorhin, die Eleganz »in Person« (während es vor dem Krieg doch eher umgekehrt gewesen sein soll). Und keiner der einstigen serbischen Liebhaber Višegrads war seit dem Kriegsende von Bajina Bašta aus in seinen früheren Wallfahrts- und Ausflugsort nachschauen gegangen. Warum? Achselzukken. Und aus dem übrigen Serbien, aus Belgrad, Novi Sad, Niš, so erfuhren wir bei unserer Rückkehr, erst recht niemand; es war, als seien die Serben in Bosnien für die meisten Serben in Serbien Fremde, und das vielleicht nicht erst seit dem Krieg.

Und wir, nach unserem langen Sonntag in der weiland Ivo-Andrić-Stadt, überspielten bis spät in die sommerliche Nacht hinein das Erlebte oder eher auf uns Eingestürmte oder Losgeprallte mit nichtendenwollendem Geblödel, mit Grobheiten, mit frischgelernten bosnischen Flüchen, »jebo te miš«, die Maus soll dich ficken, »deine Mutter ist vom Birnbaum gefallen, und wenn du sie fickst, wird sie es nicht überstehen!«, »dein Haus soll im CNN vorkommen!« (soll heißen: brennen, explodieren, usw.). Und das auch, weil es für den folgenden Tag gedacht war, zurück über die Grenze nach Bosnien zu fahren, an einer anderen Stelle, weiter die Drina abwärts, nach Srebrenica – was für ein klangvolles Wort, in das »Silberstädtchen«, nach »Argentaria«. Und doch wollte dieses »Srebrenica« uns kaum über die Lippen, und es war zu spüren, daß es meine beiden Serbenfreunde ganz und gar nicht dorthin zog; es mußte aber sein. Wer sagte das? Am Ende ein jeder von uns.

Und wieder ein Sommerhimmelmorgen, mit den Schwalbenknickflügen hoch und weithin im Blauen. Späte Abfahrt von Bajina Bašta, nordwärts, auf der Drina-Uferstraße. Das Grünwasser des Flusses zwischen den Ufersträuchern; und wieder das nun schon wochenlange Pappel- und Weidenflaumtreiben; und die allmählich ergrauenden Akazienblütenbüschel, immer noch helle Fährten bergauf bis zu den Nadelbaumsäumen, der zugehörige Nektargeruch schubweise zu den ganz offenen Autofenstern herein: innerstes Serbien.

Und dabei doch der Fluß all die Zeit als Grenze und Staatsgrenze. Und dann dort der Übergang nach Bratunac, zurück in die Serbische Republik von Bosnien, der eine Grenzschranken hüben massiv, repräsentativ, sozusagen jugoslawisch, der andre drüben eher nur angedeutet, nichts Ganzes, und nicht einmal etwas Halbes. Und dort neuerlich: Vorname des Vaters? Der Mutter? Und ansonsten die fast schon vertraute Grenzer-Lakonik, in Worten, Mienen und Blicken, inzwischen wahrgenommen als so etwas wie die Poesie mancher dieser Gebirgslandschaftsgestalten. Ein Wink eines der Grenzer, während der Dokumente-Prüfzeit Platz zu nehmen auf dem Stuhl neben ihm, dessen Sitz mit einer Decke belegt, da draußen im Freien am Brückenrand:

Mich zu ihm gesetzt, zurückgelehnt und – fehlende Lehne – ums Haar rücklings über die Böschung gefallen. Die Art, wie der Grenzposten das bemerkte und zugleich übersah.

Die Sommermittagsschwüle dann wieder, wegauf in das Drina-Seitental, dessen Schluß dann Srebrenica einnimmt; dazu jetzt die heißen Windstöße. Das Tal zunächst breit, fast eine Ebene, gegliedert von leichten Anhöhen – was die Geographen eine »Talschaft« nennen. Der Krieg vom April 1992 bis zum Juli 1995 erst nach und nach in die Augen fallend, auf der zunächst kaum spürbaren Bergfahrt in dem nur recht mählich sich verengenden Tal, bei einem Höhenunterschied von dabei doch fast vierhundert Metern auf den paar bosnischen Meilen: erst hier und da ein paar Schußlöcher und geschwärzte Mauern, dann, mit den beidseits heranrückenden Bergen, die ersten regelrechten Zerstörungen, anfangs mehr an den Feldscheunen, den Lager- und Werkhallen, den Umspannwerken, den Fabriken, danach auch an den Wohnhäusern der Vor-Bezirke, eher der Vor-Weiler, die kleineren Einschußlöcher übergehend in größere Durchschußlöcher, und ganze Häuserwände jetzt schon ein einziges Loch in der Landschaft, das Gewehrfeuer zu Granatfeuer geworden, somit die Rußschwärze sich ausbreitend und, je mehr das Tal nun sich zur Schlucht verengt und die Bebauung dabei mehr städtisch, aufragend, zuletzt hochhausartig erscheint, schließlich bildbeherrschend, keinen Fleck, keine Fassade, keine Wand auslassend.

Wenn es andere Autos gab, so fast nur entgegenkommende. Ausgestiegen, wo wohl vorzeiten das Zentrum von Srebrenica gewesen war: jetzt ein Zentrum bloß noch der Rußschwärze, des Staubs und der Asche, bei zunehmend heißem Windgebläse, in dem sich mir gleichwohl jene ländlich-slowenische Redensart aufdrängte: »Bei euch ist es kalt wie auf einer Brandstätte«.

Und nun ein Problem des Weitererzählens, der Bilderbeschreibung, des Schilderns, der Bilderfolge: als werde an Orten wie S. nacherlebbar so etwas wie das islamische oder überhaupt orientalische Verbot der Bilder, oder zumindest ein von gewissen Erscheinungen ausgehender Bilder-Verweis, ein Abweisen, jedenfalls der großen, der ausgemalten, der zu Ende geschilderten, der monumentalen und panoramischen Bilder, ein Abweisen, das dafür aber Raum gäbe oder ließe für noch und noch Miniaturen, als Bilder kaum mehr zu entziffernden, auch kaum mehr etwas bedeutenden – ein solches Kleinstbild zusätzlich verknüpft mit dem andern zu einer bloßen, bloßen?, im ganzen vielleicht doch das eine und das andere besagenden »Arabeske«. Ja, Arabeske.

Und so S.-Mitte dort wie in dem Hochtalschluß, zwischen den schluchtsteilen Hängen, diese einst wohl dicht bewaldet, heute aber himmelan kahlgeschlagen, fürs Heizen während der jahrelangen Eingekesseltheit?; nur noch hier und da ein Einzelbäumchen auf den Anhöhen. Und von diesen einzelnen Gewächsen, aus welcher Ferne auch immer, jetzt ein ständiges Aufrauschen, eher Aufbrausen.

Das vordringliche Geräusch jedoch in dem sonst eher lautlosen, dabei von zahlreichen Leuten, meist, wie am Vortag schon in Višegrad, untätig in die Kreuz und in die Quer gehenden, bevölkerten(?) Ort(?) ist das Knattern, das Flappen, das Krachen, das Geflatter der Plastikplanen vor den beinah durchweg entglasten, rußschwarzumrahmten tausend und abertausend Fensteröffnungen.

Und durch die Ritzen und die Reißlöcher dort in den Unterkünften — das ist das Wort — zu sehen der und jener regungslos Stehende oder Sitzende, auch Paare und ganze(?) Familien, Nachkriegsheimkehrer in ihre(?) Stadt gleich wie von anderswo Hergeflüchtete.

Und wieder an einer der angebrannten Fassaden — keine einzige scheint auch nur annähernd heil — wie am Vortag in Višegrad die Buswartenden, wenn auch um ein Vielfaches mehr, und nicht wenige mit großen Koffern.

Wortlos hatten wir drei S.-Besucher uns längst schon getrennt, in einer Art von Überreizung angesichts der Zerschossenheit und Ausgeräuchertheit; waren ungesellig geworden; standen unten in der Ruinenschlucht vereinzelt wie die paar Bäumchen oben auf dem Bergkamm; ein jeder auf seinem eigenen Stolperweg zwischen den Schutthalden. Gehörten die Schuhe und die Stoffetzen zwischen den Mauerbrocken zur »Arabeske«?

Und wieder die serbisch-orthodoxe Kirche fast unversehrt auf einer Steilhangterrasse, mit einem nagelneuen, freilich sehr dünnen Holztor, und unterhalb, tief zu ihren Füßen, die Reste der Moschee, ein Kuppeldachteil noch erkennbar, wenn auch, wie alle anderen Bauteile, zu Boden gekracht, letztes Formenfragment in dem sonst völlig formlosen Zerstörungsgeröll drumherum; und es war die Stunde des spätnachmittäglichen Muezzinrufes, und der erscholl nun dort aus dem Untergrund, zwischen den Kuppelbrocken, durch das Geborstene, wozu sich dann noch der Wildbach von S. hören ließ. Nein, und zweimal nein, weder den Ruf noch den Bach, welcher früher doch hier geflossen war?, gab es mehr. War der Bach verschüttet? floß er unterirdisch? hatte er sich einen anderen Weg gebahnt? ein anderes Tal? – dabei sollte er doch, weiter bergauf, einst als Heilquelle entsprungen sein? – jedenfalls, war dann zu erfahren, gab es für die Bewohner von S. nur an jedem zweiten Tag Wasser, und das wurde angeliefert, kam nicht aus dem Bach. Nichts als das schluchtfüllende Plastikplanengeschlacker.

Und mit der Hand voll in die Brennesseln bei der Kirche gegriffen, die gerade blühenden und da besonders brennenden, und noch einmal.

Und auf dem einen Steilhang, dort oben im Kahlschlag, jetzt ein paar Harkende, auf so schmalen, zwischendurch nur einfurchigen Beeten, daß diese zusammen doch längst keinen Garten ergaben, und diese Harker im Vergleich zu den unten auf dem Kleinstadtschluchtgrund hundertfach Müßiggehenden oder Hin-und-Her-Irrenden nicht bloß in der Minderzahl, sondern wie gar nicht zählend, und auch ohne Rhythmus arbeitend, im Gegensatz zu den während dieser ganzen Reise überall drüben in Serbien tätigen Scharen der Harkenden auf den Feldern, und das nicht nur wegen der Steilheit des Arbeitsplatzes hier und der Ebene und der sanften Gewelltheit dort.

Und auf dem einen der Steilhänge gegenüber, an der anderen Schluchtschräge, aus einem winzigen Restwald leuchtend, wieder die hellen schlanken muslimischen Friedhofstelen.

Und dann im Bruchland, beim Gehen und Rutschen von der Kirche hügelab, neben dem vormaligen Kurhotel – Einbildung, daß es »Europa« hieß – der Heilwasser- und Silberbergwerksstadt das Bienenhaus, nein, nur ein Kästchen dort zwischen den Mauerbrocken, dieses jedoch ganz wirklich umflogen und umbrummt von ein paar gar spärlichen Honigsammlerinnen, kaum zahlreicher als die Harkenden oben in der Wildnis.

Und das Winken schließlich eines älteren Mannes (von dem sich dann herausstellte, daß er jünger war als ich) aus einem der zentralen Rußfahnenhochhäuser, aus einem Fensterloch dort in halber Höhe.

Und das gemeinsame Bewirtetwerden der durch das Winken wiederzusammengefundenen drei Gefährten in seinen »Räumlichkeiten« (ich habe vergessen, den vierten zu erwähnen, unsern Begleiter aus Bajina Bašta, nennen wir ihn hier »Klosterbibliothekar«, den einzigen Menschen, welcher sich seit dem Kriegsende aus seinem Serbien in das vordem doch nicht so entlegene S. hergewagt hatte, gleich im letzten Winter, und der Unterschied zu jetzt im Mai? »Keiner – nichts hat sich in S. geändert während des letzten halben Jahres, nur daß damals Schnee lag, viel Schnee, und die Stadt friedlicher wirkte«).

Unser Gastgeber ein Alteingesessener, während des Kriegs aus dem überwiegend muslimischen S. »weggegangen« und nun in seine frühere Wohnung zurückgekehrt, eine von den gar nicht vielen noch beziehbaren in dem großen Haus; die Namen an den verwaisten Briefkästen unten im Eingangsflur mehrheitlich »türkisch«, vereinzelt die Überklebung mit einem »rein serbischen« (*izbeglice*, Flüchtlinge, Eingewiesene).

Bewirtung mit dem Einmal-darfst-du-raten-Schnaps, an einem Tisch mit einer ziemlich mitteleuropäischen Häkeldecke, während der nichttrinkende, zuckerkranke (keine Medikamente) Wohnungsinhaber dabeisaß und mit schwacher Stimme – aber welch zutrauliche, zugleich hilflose Augen – von seiner Frau erzählte, die gerade zu einem Kinderbesuch im nahen und dabei fernfernen Serbien war, in einem Ton, als glaube er kaum an ihr Zurück-kommen; als Wandbild dazu ein Riesenhirsch dort in diesem halbheilen Winkel mitten in dem ausgeräucherten Großwohnhaus, das Geweih gerichtet auf das vor das Fenster ge-nagelte Plastik, während nebenan auf dem Küchenherd ein Kaffeewasser warm wurde — es gab also immerhin wieder Strom hier, wenn auch so schwach, daß wir dann, noch lang vor dem Aufkochen, uns auf den Weg machen mußten, zum Treffen mit jenem Mann aus S., der, laut Bibliothekar, als vermutlicher Kriegs-verbrecher auf der Liste des internationalen Gerichtshofs stand.

Zuvor aber noch unten, auf einem der durch Einebnung geschaffenen Buckelplätze, der Umweg zu einer der Holzbuden dort, für einen kleinen Pflicht-Einkauf: Rasierklingen aus China, sowie ein Säckchen mit Spinat-samen, als dessen Sortennamen zu meinem Staunen groß der Name meines Pariser Nach-barvorortes aufgedruckt — ich brauche sonst dahin nur aus dem Haus und über die Straße zu gehen –, VIROFLAY (der Samen verpackt in Novi Sad in der Vojvodina; und der Verkäufer dort auf dem Schuttplatz von S. in der Vorgeschichte Arbeiter bei Mercedes im Schwabenland).

Und das Zusammensitzen dann in einer gar nicht so kleinen Gruppe mit Einheimischen, Lehrern, Ingenieuren, Verwaltungsangestellten, in dem, verglichen mit der schwarzgrauen, heißwindigen Nachkriegswüstenei gleich vor der Tür, geradezu prunkvollen, auch wie gekühlten Neben- oder Hinterraum eines Lokals, unter uns dessen Besitzer, eben der von der Haager Liste, welcher, außer daß er uns, je länger wir saßen, um so inständiger zum Bleiben aufforderte und in einem fort den Wein einschenken ließ, ziemlich schweigsam war, indes die anderen dieser Serbenleute aus dem berüchtigten S. wieder vielstimmig und ungläubig auf Amerika und vor allem Großdeutschland zürnten – und von diesem letzterem, nur von diesem!, sich doch gläubigst eine Art Heil zu erwarten schienen. Die Tatsache, daß der deutsche Herr Außenminister gerade Serbien aufsuchte, hieß doch, daß nun auch

für sie da in Bosnien, die Serben von Srebrenica, die Wende winkte, insbesondere die wirt-
schaftliche; Deutschland würde ihnen bei der
Wiedereröffnung der Bergwerke helfen, ebenso des Kurbetriebs – waren denn nicht vor
dem Krieg viele Gäste von dort, und von ganz
Europa, nach S. gekommen, wegen des Heil-
wassers, und auch zur Jagd, Hochwild und
Bären, Deutsche, Österreicher, Italiener. Und
wie Kinder suchten die Männer nach guten
Zeichen, nach Zustimmung in den Gesichtern der Besucher, waren dann aber, als sie
dort eher das Gegenteil fanden, immerhin so
frei, über sich selbst zu lachen.

Und zuletzt doch noch das Fragen, an den
Patron des Lokals, vor dem Krieg angeblich
ein großer Jäger: Warum? Warum auf der
Liste? Und als Antwort nur: Es sei Krieg gewesen. Und seltsam: Es schien, als lenke der
Mann damit nicht ab, sondern seine Ver-
schwiegenheit komme vielmehr daher, daß er
im Grund kaum etwas zu sagen hatte, sei sogar eine Art der Aufschneiderei, oder vielleicht auch eine bloße Gastgeber-Höflichkeit:
»Denkt, was ihr schon im voraus gedacht

habt!« – während zur selben Zeit jetzt am Vorabend vor unserem Fenster auf Jeeps und Tanks die internationale Friedensvertragsdurchführungstruppe vorfuhr, zu dem Schallmauerdurchbrechen ihrer Kampfflugzeuge oben im Firmament: meist schwarze US-Soldaten, die dann eine gute halbe Stunde lang ihre Maschinengewehre und dergleichen mehr auf die verkohlten Gebäude und die geplünderten Hügel der Silberstadt gerichtet hielten, und auf und nieder und im Kreis schwenkten, durch die immer noch heißen Staubschwaden hindurch so die Tausende der örtlichen Barbaren, Verbrecher, Menschheitsfeinde anpeilend, in Schach haltend, anprangernd, und die Waffen endlich wieder zusammensteckten und einpackten, die Tankluken zugeklappt und talab gerollt, und drinnen in dem Hinterzimmer dann wieder, immer inständiger, das: »Bleibt doch hier, bleibt zum Nachtmahl! Es kommt doch niemand sonst zu uns nach S., oder es kommen viele, aber immer nur für etwas ganz anderes!« – »Leider, für den Grenzübergang gilt eine Frist.« Und so hinaus, und draußen vor der Abfahrt, bei noch gleißend hellem Himmel, eine fahle Dämmerungsstimmung, die wohl auch daher kam, daß in dem Schluchttal die Sonne früh schon untergegangen war.

Und in diesem zwiespältigen Licht ein Mann, der, nicht mehr jung, in seiner augenanspringenden wilden Verzweiflung jetzt aber jung wirkend, auf der einstigen Hauptstraße, der jetzigen Trümmerpiste, an uns vorbeizog, mit zurückgelegtem Kopf und weitgeöffneten Augen, wie geblendet.

Und wir hörten ihn reden und sagen, zu uns und über uns hinaus, die Arme erhoben: »Ich bin kein Serbe mehr, ich bin nichts mehr, möchte kein Serbe mehr sein, möchte überhaupt nichts mehr sein. Kein Apfel wird mehr reif werden in diesem Tal. Kein Tau wird mehr fallen auf Srebrenica. Kein Ball mehr wird hier in ein Tor treffen. Ich bin kein Serbe mehr, ich weiß nicht, wer ich bin, und ihr sollt mich nicht anschauen. Hört mir nicht zu, haut ab, geht woandershin, fragt jemand andern. Die Welt hat uns vergessen. Die Welt soll uns vergessen. Es ist zu Ende, fürs ganze Leben. Ich bin kein Serbe mehr.«

Und was sagt das Gedächtnis jetzt, im nachhinein, von den Stunden in S.? – Gewiß haben
sich dort auch Kinder gezeigt, aber das Gedächtnis hat weder Bilder noch Worte für sie.
Und gewiß, wie zuvor und danach durch das
ganze maienhafte Serbien drüben und Bosnien hüben, sind auch in S. die Pappel- und
Weidenflocken durch die Lüfte geschneit und
haben die Akazienblütenbäusche mit ihrem
Weiß und später Perlgrau die Hügel gespren-
kelt, aber das Gedächtnis hat weder Bilder
noch Worte dafür. Und keine Bilder so auch
von den mutmaßlichen Massakerstätten weiter unten im Tal und in den Nachbartälern
(doch davon gibt es ja nicht zu wenige andere
und andersartige Bilder, jene Totenschädel auf
freiem Feld, die Augen-, Nasen- und Mund-
höhlen von gar malerischen Blumen durch-
wachsen – während das Feld sonst ganz ohne
Blumen ist! –, mit den passenden Gestrüpp-
zweigen kombiniert, angepeilt oben von
einem gut gewählten Kamerahochsitz, des-
gleichen kadriert und noch trefflicher ausge-
leuchtet, hochglanzbereit und farbraffiniert
für den vom Interplanetarischen Photogra-

phenverband allsonntäglich verliehenen Goya-, Wurlitzer- oder »Bilder-ohne-Grenzen«-Preis).

Und im Gedächtnis ist nicht einmal eine Spur von einem Vogelflug über S. — auch wenn da tatsächlich noch und noch Vögel geflogen sind, und unter denen mit Sicherheit nicht nur die ominösen Krähen, Raben und Dohlen; und im Gedächtnis laufen keine Hühner, hoppeln keine Hasen, schreien keine Esel — auch wenn da tatsächlich . . .

Hätte da doch, so wieder der Gedanke, irgendwo gottsjämmerlich ein Kind geschrien, und eine Mutter oder ein Vater oder ein Elternpaar insgesamt, nah am Überschnappen, auf es eingebrüllt: es wäre so für einen Zeugen, einen Dritten, wenigstens etwas zu *tun* gewesen.

Doch das einzige, was das Gedächtnis zu S. sagt: »Es ist nichts zu tun. S. ist keine Siedlung, und schon gar keine Neusiedlung, sondern eine Aussiedlung, in jeder Hinsicht. Sogar zum Einebnen fehlt jeder Anstoß. Und nicht bloß keine Zukunft zeigt sich, sondern auch nicht einmal der leiseste Anhauch gleichwelcher Gegenwart. Das Größte und Schönste, was Eltern ihren Kindern wohl geben können, die beste ›Erziehung‹: Kontinuität, Dauer — die gab es da nicht mehr, weder bei den (so scheint es jedenfalls) eher widerwilligen Eroberern noch bei den Zurückgekehrten, und schon gar nicht bei den Neueinquartierten, den aus Not Zugezogenen, den Flüchtlingen. Was ein Freund einmal, auf die Nachricht von seiner Todeskrankheit, ausgerufen oder eher hervorgestoßen hatte, das galt in S. über einen einzelnen hinaus für das ganze sogenannte Kollektiv: ›Keine Perspektive mehr. Ich habe keine Perspektive mehr!‹«

Und die sonderbarste Gedächtnisspur, auch die erste, die sich einstellte, gleich nach unserem Verlassen von S., bei der Rückfahrt abends über die Drina, zurück in dem unversehens blühenden, tieffriedlichen, wie ein Weltreich sich streckenden Serbien, und auch heute noch, mehrere Wochen später, in der

Ferne klar nachzuziehen: Die außerordentliche Kleinheit, gleichsam Geringfügigkeit, jenes Kriegsgebiets, verglichen mit dem großen, genauso bewohnten und doch mehr oder weniger verschonten Land ringsherum. Mehr als drei Jahre Universalkrieg dort in dem Talschluß, der Weltbrand in einem schmalen Talschluß! Als sei dort, während es sonst europaweit nichts als blaute, grünte und schneite, eine Fackel hineingestoßen, jahrelang und unentwegt, zunächst talweit und sich zuletzt für den Schluchtteil verengend, dort aber mit der größten Feuerkraft – was die Örtlichkeit oder den »Schauplatz« betraf, ein Winz- oder Miniatur- oder Millimeter- oder Fingernagel-um-Fingernagel-Krieg inmitten unseres Kontinents, und so zugleich eine andere, noch unerhörte Art von Atom-Krieg. Und zudem ausgebrochen, losgefaucht und durchgeschmaucht gerade in einem Winkel unseres dabei wie schon für ewige Zeiten von der Geisteskrankheit namens »Krieg« geheilten Europa. Ausgerechnet da also nun der Krieg »Krieg«, die Essenz gleichsam allen Krieges, etwas ziemlich Neues in der Menschheitsgeschichte oder im Menschheitsbewußtsein? – was dabei aber das kurze Tal von Srebrenica schwärzte wie dahergefahren und -geschossen aus der Nacht der Zeiten.

Verständlich, und recht, würde jemand dazu nun fragen: »Ihr Serben in Bosnien, was habt ihr dort getan – gerade ihr, das nicht gerade friedlichste, aber in der Historie kräftigst seit je die anderen, das Andere, das Andersartige sein-, leben- und geltenlassende Volk, darin ein Leitbild fast allen europäischen Völkern!?« Und: »Serben, warum bleibt ihr in S., warum geht ihr nicht weg von eurer und der früheren Nachbarn Brandstätte im Talschluß?«

Und doch ist es, sogar da in S., wieder auch die Vorgeschichte – sagt jedenfalls das Gedächtnis –, welche zählt, und zu zählen hat, für sämtliche Beteiligten in Europa und in Übersee, soll es nicht bei dem internationalen Schnappschüsse-Produzieren und -Begaffen, einem gedächtnislosen, geistesblinden, weiterhin bleiben.

Und mit »Vorgeschichte« meint das Gedächtnis nicht allein die Unterdrückung durch die Türken vor Jahrhunderten und die mörderische Verfolgung durch die muslimischen Nazi-Verbündeten vor Jahrzehnten. (Statt »Gedächtnis« sag vielleicht besser »in den Sinn kommen«, »im Sinn sein«.) Zählte denn nicht, vor allem, das zu Beginn dieses Kriegs Geschehene, nein, Verbrochene – und da einmal *nicht* von den Serben – zu der Vorgeschichte? War eine oder vielleicht überhaupt die große Ursache für eine dabei so oder so unverzeihliche Rache dann drei Jahre später? Waren die Brandschatzungen und Tötungen seit 1992, die fort- und fortgesetzten, in den serbischen Dörfern um S. zur Welt durchgedrungen und dieser vor Augen, ebenso tagaus und tagein, wie das mit dem mutmaßlichen Rachemassaker nun seit Jahresfrist, ganz begreiflich, der Fall ist?

Nichts da – kein einziges Bild, oder Satzbild, zumindest auf jener Kriegsseite, auf welcher, von Anfang an, die europäische Zuschauerwelt stand, handelte davon; oder wenn, so wurden die Kadaver und die sie Betrauernden – es gab in der Landschaft von S. auch Tausende serbischer Opfer – in der Regel blindlings dem anderen Opfervolk zugeschrieben.

Und selbstverständlich soll damit hier keine Aufrechnung betrieben werden – wohl aber ein Klarstellen. Wenn die angedeuteten Vorgeschichten überhaupt je durch die Medien unserer Breiten drangen, dann immer nur en passant, als Nebensächlichkeiten, verwischt und versteckt in schnellen Nebensätzen, etwas zum Überlesen und zum Übersehen. »Die Geschichte ist bekannt. Zu ihrer Vergegenwärtigung braucht es wenig Worte«: Mit solchen Einleitungssätzen beginnt eine einst ernsthafte westliche Zeitung das Gedenken an den Jahrestag des mutmaßlichen (im Augenblick, Mitte Juli 1996, immer noch das richtige und rechtliche Beiwort) Genozids von S.

Was ist bekannt? Und ist auch die Vorgeschichte bekannt? Gibt es irgendwo einen, eine Instanz, welche die Vor-Geschichte erforscht, noch auf etwas anderes aus als den gedächtnislosen Moloch Aktualität? Wer will verstehen? Will einer verstehen?

Doch wieder Achtung: Wie solch ein Klarstellen der Vorgeschichten nichts mit Aufrechnung zu schaffen hat, so selbstredend auch gar nichts mit einer Relativierung oder Abschwächung. Für die Rache gilt kein Milderungsgrund. – Die Vorgeschichte, oder überhaupt die Geschichte, zu studieren, sie im Auge haben und sinnfällig werden zu lassen, konnte zwar einiges erklären helfen und um ein paar Stufen hinausführen über das Aktualitäten-Getrommel. Aber – und das ist zumindest eine persönliche Erfahrung mit dem Studium der Geschichte, der jugoslawischen, während der letzten paar Jahre – es klärte nicht *auf*, ließ kein Licht aufgehen, höchstens ein zeitweiliges Funken oder eher bloß Funzeln. Bewegte man sich an der Hand (Hand?) des Geschichte-Studiums zuletzt doch nicht bloß im Kreis, oder eher im Zickzack, und statt mit seiner Hilfe weiterzusehen, in einem Labyrinth, einem fast lichtlosen?

Und dazu noch einmal Achtung! Es ist der Fall, daß ich wohl einiges weiß – vielleicht mehr als du und du –, aber trotzdem nicht zuständig bin. Und im übrigen ging es mir auf dieser Reise mit meinem Wissen so, daß es immer ungewisser wurde, während die Ahnung, die, gemäß meiner Erfahrung, ganz anders vorausweist als jedes Wissen, immer gewisser wurde – die Ahnung, oder eben jener dritte Blickwinkel, der kaumwo je vorkam – nicht vorkommen *durfte* – und warum nicht?

Auf der Rückfahrt von Srebrenica überholten wir mit Karacho, in einem so stillschweigenden wie einhelligen Entschluß, den Konvoi der Jeeps und Panzerwagen der Internationalen Friedensvertragsdurchführungstruppe; zwischen den Gesichtern der sehr, sehr fremden Soldaten und uns eine dichte lange Staubfahne hinab zur Drina.

Und das Serbien überm Grenzfluß war dann immer noch – nach den paar bosnischen Gebirgsmeilen die Hunderte der serbischen Hü-

gelland- und Ebenen-Meilen – das riesige
Zimmer eines Verwaisten, so wie seinerzeit im
Winter; dieses Zimmer jetzt aber lärmdurch-
tobt, und erfüllt von grellen, ungewohnten Far-
ben und Formen, die man in unseren Breiten
»byzantinisch« genannt hat und mir freilich
eher tirolerisch, baden-württembergerisch,
normannisch oder nevada-haft erschienen.

Und nachts auf der Autobahn nach Belgrad
wieder so ein wildes Überholen, und wieder
mit Gleichmut geduldet, eines bewimpelten,
hochpolierten, offiziellen Wagens der von uns
vor Stunden verlassenen »Republika Srpska«:
im Fond ein Machthaber von dort, auf dem
Weg, wie tags darauf in den Zeitungen stand,
zum Begräbnis jenes serbisch-bosnischen Ge-
nerals, welcher, todkrank, in eine Zelle des
Internationalen Sicherheitsratsgerichtshofs
gesteckt und ein paar Tage vor seinem Sterben
ohne Verfahren entlassen worden war, eben
zum Sterben, gnädig – Gnade von wem? –,
und dabei immer noch unter Anklage als
Kriegsverbrecher.

Und danach erst kam es in unserem Privatgefährt, nach einer von Srebrenica bis weit hinter Šabac an der Save dauernden Einsilbigkeit, zu einer Art Redefluß, der, wie nach Višegrad, vor allem aus Flüchen, aus Zoten, aus Kraftausdrücken bestand. Kraft? Eher Schwäche und noch einmal Schwäche.

Und danach, so kommt es mir jetzt zumindest in den Sinn, ziemliches Schweigen bis in den Krach von Belgrad hinein, und dann auch noch während der Tage darüber hinaus, südwärts im Kosovo (darüber hier jedoch nichts – obwohl ohne die Tage dort das bisher Erzählte und Gefragte sich wohl anders dargestellt hätte).

Und es war, als träten wir da noch einmal in eine andere Geschichte ein – eine, in der wir nichts mehr zu sagen hätten, weder ich, der Ausländer, noch aber auch die zwei serbischen Gefährten.

* * *

Wie die erwähnten bosnischen Gegenden, nach meiner Rückkehr ins andere Europa, sich in dieses hier einmischen, ein Seitental der Drina bei Višegrad sich so hineindrängend in eines des Neckar bei Heidelberg – keine sanften Überschneidungen, vielmehr ein Kippen zwischen dem Heilsein hier und dessen Gegenteil dort. Oder wie bei einem beiläufigen Blick auf die Billighochhäuser, denen von Srebrenica gar nicht so unähnlich, hier in den Pariser Vororten, Rußfahnen und Plastikbahnen sich in das Bild mischen, dieses schwärzen und zudecken; oder wie die schön bewaldeten Seine-Höhen hierzuland sich plötzlich kahlgefetzt zeigen. Das alles beileibe keine kommunizierenden Orte, nicht jene »Zugleichräumigkeit«, wie sie sonst, als Zusatz zur Gegenwart, zum Anwesenden, als Weltbestärkung erfreuen kann – vielmehr eine Art Ortsräuberei, etwas wie ein Weltentzweireißen. Und so auch bei jedem Wettersatellitenphoto oder Mondkraterphoto in den Tageszeitungen mein zwangsweises Verwechseln mit einem der täglichen Massengrabbilder jetzt. Oder an einer Luftaufnahme des österreichischen Heilwasserkurortes Badgastein die Ähnlichkeit des bosnischen Srebrenica mitsehen (müssen).

Und daneben, gerade auch in den erwähnten Bildverlusten hier »im Westen«, spürbar der Aufruf, sich wieder »dorthin« auf den Weg zu machen, und zwar für länger, in Srebrenica etwa fürs Nachtmahl zu bleiben, und über die Nacht, und nicht nur für eine. Und dort möglichst lange nichts fragen, das Fragen hinausschieben bis zum richtigen Moment – erst einmal nur dabeisitzen, dabeihocken, den Kopf *mit* in die Hände stützen.

Wohl wahr: in Višegrad fand ein Leben nur noch auf den Friedhöfen statt, und in Srebrenica, dem Anschein nach, gar nicht mehr – aber vielleicht gab es da ein anderes zu entdecken, ein unseren Begriffen schwer zugängliches?

Wie jener serbische Leser mir nach der Lektüre der *Winterlichen Reise* schrieb, ob ich mir denn bewußt sei, daß es für mich kein Zurück mehr gebe.

Und wie mir einmal eine neuartige geographische Karte unseres Kontinents in den Sinn kam, mit dem Schmauchtal von S. genau in der Mitte.

Und einmal dann der Gedanke, wenn überhaupt irgendwo auf Erden die Auferstehung der Toten noch Wunsch, oder akuter Tagtraum, oder wüster Wahn sei, so dort bei zumindest einem der Abgehausten, einem einzigen, von S., Auferstehung auch und vor allem der Vor-Bewohner, oder zumindest eines von denen, eines einzigen. Nein, das spielt dort, wenn überhaupt, jenseits von Wunsch, Wahn oder Traum! Oder ist das nicht bloß der Gedanke an den Durchbruch der Trauer, oder den Durchbruch *zur* Trauer?

Und im Gedächtnis einmal das Bild von Mohnblumen zwischen dem Schutt von S.-Mitte, die Blüten im heißen Wind ständig hintüber kippend; in Wirklichkeit dort gesehen?; »in Wirklichkeit«?

Und das hier soll eine heutige Geschichte sein? Wer soll das heutzutage lesen – eine Geschichte ohne menschheitsfeindliche Bösewichte, ohne ein Feind-Bild?

Und warum sagst du das alles? – Weil es kaum einer sonst sagt und doch jeder sagen kann. Und »Warum klart es nicht endlich auf über der Drina?«, so der Titel eines alten Liedes, worin ein Serbe nachtlang vom Gegenufer seine beiden muslimischen Freunde erwartet – zum Teil vergebens.

»Letzte Frage«: Wie hat man den Kampf der Serben in Bosnien wahrgenommen? – Dazu siehe vielleicht wieder »Geographie«: die Freiheitskämpfer oben – auf den Bergen –, die Zwangsherren in den Tälern, so als Opfer »vor-gesehen« – aber erscheinen nicht auch in den Western die bösen Indianer oben auf den Felsklippen, die friedlichen Ami-Karawanen überfallend und metzelnd – und kämpfen die

Indianer nicht doch um ihre Freiheit? Und »allerletzte Frage«: Wird man einmal, bald, wer?, die Serben von Bosnien auch als solche Indianer entdecken?

Und ab jetzt nichts mehr fragen, und wenn, dann jedenfalls grundanders anfangen als mit dem folgenden ersten Satz einer langen aktuellen Bosniengeschichte in der Zeitschrift *The New Yorker*: »Haris XY wurde ethnisch gereinigt, während er mit seinen Freunden Karten spielte.«

Anfangen wie? Zum Beispiel so: »Am Beginn aller Stege und Wege, am Ursprung des Bilds, das ich mir davon mache, stehen unauslöschlich eingeprägt die Pfade, wo ich frei die ersten Schritte tat. Das war in Višegrad, und die Wege waren hart, ungleichmäßig, wie ausgenagt . . .« (Ivo Andrić, *Pfade*)

[Juni-Juli 1996]

Inhalt

Abschied des Träumers
vom Neunten Land
5

Eine winterliche Reise zu den Flüssen
Donau, Save, Morawa und Drina
oder Gerechtigkeit für Serbien
1 Vor der Reise *37*
2 Der Reise erster Teil *77*
3 Der Reise zweiter Teil *113*
Epilog *143*

Sommerlicher Nachtrag
zu einer winterlichen Reise
163

Peter Handke
Sein Werk im Suhrkamp Verlag

Aber ich lebe nur von den Zwischenräumen. Ein Gespräch, geführt von Herbert Gamper. st 1717

Abschied des Träumers vom Neunten Land. Eine Wirklichkeit, die vergangen ist: Erinnerung an Slowenien. Mit Zeichnungen des Autors. Bütten-Broschur

Die Abwesenheit. Ein Märchen. Leinen und st 1713

Als das Wünschen noch geholfen hat. Fotos von Peter Handke. st 208

Die Angst des Tormanns beim Elfmeter. Erzählung. st 27

Begrüßung des Aufsichtsrats. st 654

Der Chinese des Schmerzes. Leinen und st 1339

Drei Versuche. Versuch über die Müdigkeit. Versuch über die Jukebox. Versuch über den geglückten Tag. Faksimile der drei Handschriften. Einmalige, numerierte und vom Autor signierte Auflage in 1000 Exemplaren. Lose Blätter in Kassette

Das Ende des Flanierens. st 679

Falsche Bewegung. st 258

Gedicht an die Dauer. BS 930

Die Geschichte des Bleistifts. st 1149

Das Gewicht der Welt. Ein Journal (November 1975 – März 1977). st 500

Der Hausierer. Roman. Engl. Broschur und st 1959

Die Hornissen. Roman. st 416

Ich bin ein Bewohner des Elfenbeinturms. st 56

In einer dunklen Nacht ging ich aus meinem stillen Haus. Roman. Leinen

Die Innenwelt der Außenwelt der Innenwelt. es 307

Kaspar. es 322

Kindergeschichte. Engl. Broschur und st 1071

Die Kunst des Fragens. st 2359

Der kurze Brief zum langen Abschied. Engl. Broschur und st 172

Langsam im Schatten. Gesammelte Verzettelungen 1980 – 1992. Leinen und st 2475

Langsame Heimkehr. Erzählung. Leinen und st 1069

Die Lehre der Sainte-Victoire. Engl. Broschur, st 1070 und st 2616

Die linkshändige Frau. Erzählung. Engl. Broschur und st 560

Mein Jahr in der Niemandsbucht. Ein Märchen aus den neuen Zeiten. Leinen

Nachmittag eines Schriftstellers. Erzählung. st 1668

Peter Handke. Prosa. Gedichte. Theaterstücke. Hörspiel. Aufsätze. Sonderausgabe. Kartoniert

25/1/4.97

Peter Handke
Sein Werk im Suhrkamp Verlag

Phantasien der Wiederholung. BS 1230

Publikumsbeschimpfung und andere Sprechstücke. es 177 und es 3312

Der Ritt über den Bodensee. es 509

Sommerlicher Nachtrag zu einer winterlichen Reise. Broschur

Das Spiel vom Fragen oder Die Reise zum sonoren Land. Engl. Broschur

Stücke 1. st 43

Die Stunde da wir nichts voneinander wußten. Ein Schauspiel. Engl. Broschur und BS 1173

Die Stunde der wahren Empfindung. Leinen, BS 773 und st 452

Theaterstücke in einem Band. Leinen

Über die Dörfer. Dramatisches Gedicht. Engl. Broschur

Die Unvernünftigen sterben aus. st 168

Versuch über den geglückten Tag. Ein Wintertagtraum. Leinen und st 2282

Versuch über die Jukebox. Erzählung. Leinen und st 2208

Versuch über die Müdigkeit. Leinen und st 2146

Die Wiederholung. Leinen, BS 1001 und st 1834

Wind und Meer. Vier Hörspiele. es 431

Eine winterliche Reise zu den Flüssen Donau, Save, Morawa und Drina oder Gerechtigkeit für Serbien. Kartoniert

Wunschloses Unglück. Erzählung. BS 834 und st 146

Zurüstungen für die Unsterblichkeit. Ein Königsdrama. Engl. Broschur

Übersetzungen

Aischylos: Prometheus, Gefesselt. Übertragen von Peter Handke. SV. Broschiert

Nicolas Born: Gedichte. Auswahl und Nachwort von Peter Handke. BS 1042

Emmanuel Bove: Armand. Roman. Aus dem Französischen von Peter Handke. st 2167

– Bécon-les-Bruyères. Eine Vorstadt. Aus dem Französischen von Peter Handke. BS 872

– Meine Freunde. Aus dem Französischen von Peter Handke. BS 744

Patrick Modiano: Eine Jugend. Aus dem Französischen von Peter Handke. BS 995

Walker Percy: Der Idiot des Südens. Roman. Deutsch von Peter Handke. Gebunden

– Der Kinogeher. Roman. Deutsch von Peter Handke. BS 903

Francis Ponge: Das Notizbuch vom Kiefernwald und La Mounine. Aus dem Französischen von Peter Handke. BS 774

25/2/4.97

Peter Handke
Sein Werk im Suhrkamp Verlag

Übersetzungen
William Shakespeare: Das Wintermärchen. Deutsch von Peter Handke.
  Gebunden

Editionen
Ödön von Horváth: Geschichten aus dem Wiener Wald. Volksstück in
  drei Teilen mit einer Nacherzählung von Peter Handke. BS 247

Zu Peter Handke
Peter Handke. Herausgegeben von Raimund Fellinger. stm. st 2004
Adolf Haslinger: Peter Handke. Jugend eines Schriftstellers. Mit zahl-
  reichen Abbildungen. st 2470

25/3/4.97